Kimberly Marooney
(Reverend)

Engel Himmlische Helfer

Engel-Karten
für Göttliche Führung und Inspiration

WINDPFERD
Verlagsgesellschaft mbH.

Titel der Originalausgabe *Angel Blessings*
Erschienen bei *Merrill-West Publishing, Carmel, CA*

Übertragen aus dem Amerikanischen von Iris Guske

Der in diesem Buch vorgestellte psychologische Prozeß und Selbsthilfeprozeß kann für Deinen persönlich Weg zu Gesundheit und Ganzheit von unschätzbarem Wert sein. Wie dem auch sei, letztendlich bist nur Du der Maßstab für das, was Deinem eigenen Wohl zuträglich ist. Wenn Du bei einem Therapeuten oder Arzt in Behandlung bist, solltest Du die in diesem Buch beschriebenen Übungen nicht ohne die Zustimmung Deines Behandlers ausführen. Dieses Buch ist nicht dazu bestimmt, professionelle Hilfe zu ersetzen.

1. Auflage 1995
2. Auflage 1995

Umschlaggestaltung: Wolfgang Jünemann – unter
Verwendung einer Illustration von Jean Bernard, „Fortuna“,
Bridgeman Art Library, London, England
Foto auf den Kartenrückseiten: Batista-Moon Studios,
Monterey, California
Illustrationsverzeichnis (Fortsetzung): siehe Seite 185
Gesamtherstellung: Schneelöwe, D-87648 Aitrang
ISBN 3-89385-144-5

Printed in Germany

Liebe

Ich werde ewig dankbar sein für die Liebe, die mich aufgrund meiner Bereitschaft, dieses Projekt in Angriff zu nehmen, durchströmt hat. Vom ersten Tag an, als die Engel mich mit dieser Vision erfüllten, bis sie sich abschließend zu Wort meldeten, haben sie mir so viel Liebe zuteil werden lassen, wie ich nur in mir aufnehmen konnte. Und daß ich auf den Schwingen eben dieser Liebe getragen wurde, bedeutete für mich, genau im richtigen Augenblick die Hilfe zu erfahren, derer ich bedurfte. Immer wieder schaffen es Gott und die Engel, einen in Erstaunen zu versetzen! Steht ihnen das Herz voller Liebe und Anbetung offen, so übersteigen die Segnungen, die sie uns bescheren, jedes menschliche Fassungsvermögen.

Hingabe

Durch dieses Projekt erkannte ich, daß ich für mich allein gar nichts bewegen kann – Gott ist es, der sich in mir und durch mich offenbart. Jedesmal, wenn ich eine bestimmte Phase abgeschlossen hatte oder nicht weiterwußte, gab ich mich völlig hin, und unverzüglich bekam ich eine unglaublich klare Antwort. Mein großer Dank gilt Kalindi und der Gruppe Miracle of Love, da beide mir vermittelten, wie ich mein Herz öffnen kann. Ich bete daher stets darum, ein offener Kelch und Bote der Liebe zu sein.

Dankbarkeit

Die Engel bescherten mir auch jeweils zur richtigen Zeit die richtigen Menschen. Die ersten, die der Vision ebenfalls teilhaftig wurden und ihre Unterstützung zusagten, waren Julie King und der Merril-West Verlag. Julie, Deine Ganzheit ist ein Segen. Wie gerufen kam auch Lori Jean Flory, als ich nicht imstande war, die Essenz der letzten neun Engel zu spüren und ihre Namen zu nennen. Ihre Liebe und Hilfsbereitschaft öffneten das Tor, durch das ihre Gegenwart schlüpfen konnte – so deutlich wahrnehmbar, daß es mich nahezu überwältigte. Lori Jean, Du bist ein Engel und ein Juwel!

Und nicht zuletzt standen mir während der langwierigen und oft mühseligen Aufgabe meine Familie und mein Mann Jim, meine Freunde Rev. Dr. Judith Reno, die Gruppe Gateway Community, Klarita und Lauren zur Seite. Ich habe viel von ihnen gelernt. Meine grenzenlose Liebe und Dankbarkeit lassen sich nicht in Worte fassen.

Inhaltsverzeichnis

Vorwort

Von langer Krankheit geschwächt lag ich eines Nachmittags auf dem Sofa und hörte mir Raphaels Album *Music to Disappear* an. Auf einmal erschienen mir ganz eindeutig Engel. Sie baten mich, zwischen unseren beiden Welten einen Kommunikationsfluß in Form eines Orakels zu ermöglichen. Als nächstes zeigten sie mir, wie wir Menschen mit Hilfe von Karten eine persönliche Beziehung zu ihnen herstellen können und die Möglichkeit haben, uns von ihnen zu tiefer Selbsterfahrung anleiten zu lassen. Das Spiel ließe sich nicht nur im persönlichen Gebrauch im Rahmen von Gebet und Meditation einsetzen, sondern auch in Therapie und Heilkunde. Als die Erscheinung vorüber war, waren mein Herz und Verstand gleichermaßen erfüllt von der Vision in ihrer Ganzheit.

Es sollten noch anderthalb Jahre vergehen, bis ich endlich wieder so zu Kräften kam, daß ich die Arbeit an *Engel – Himmlische Helfer* aufnehmen konnte. Dabei hieß mich mein akademischer Hintergrund, auf traditionelle Art und Weise zu beginnen, also alle verfügbaren Dokumentationen und Publikationen über Engel zu lesen und relevantes Material zu sichten und sammeln. Darüber hinaus wiesen mir natürlich die Engel mit all ihrer Zuneigung immer wieder den richtigen Weg und ließen mir ihre Weisheit zuteil werden, als sie mich Schritt für Schritt auf diesem Schöpfungsakt begleiteten.

Auch der Prozeß meines eigenen Erwachens, um das mein Leben seit langem kreiste, setzte sich fort, während ich meine Arme ausstreckte, um mit dieser ehrfurchtgebietenden Aufgabe betraut zu werden. Vor nicht allzu langer Zeit hatte ich das Kartenset „Angelic Kingdom Cards“ fertiggestellt, das auf dem traditionellen dionysischen System basierte, als ich in eine mir neue Meditationsform eingewiesen wurde. Normalerweise ging ich analytisch vor, das heißt, ich mußte erst völlig zur Ruhe kommen und dann meinem Körper entschweben. Ich trat mit den Engeln in Kontakt, indem ich mich im Geist mit ihnen unterhielt. Diesmal allerdings richtete ich meine Aufmerksamkeit auf meinen Körper und mein Empfinden. Dabei wurde ich vollkommen vertraut mit meinen echten Gefühlen – mit Verärgerung, Angst, Zuneigung, Freude, Zorn, Eifersucht, Leidenschaft, mit dem Gefühl, vor Schreck erstarrt zu sein oder voller Tatendrang zu stecken. Und allmählich nahm meine andächtige Kommunikation mit den Engeln immer intensivere Formen an. Dabei geschah es des öfteren, daß ich mich auf einer unvorstellbaren Woge wahrer Verzückung forttragen ließ, wie ich es mir nicht einmal im Traum hätte vorstellen können.

Diese zunehmende Vertrautheit mit mir selbst machte mir schließlich klar, daß ich mich auf vielerlei Art dagegen sperrte, Liebe zu empfangen. Mir fiel auf, daß ich mir unzählige Anschauungen zueigen gemacht hatte, die in Büchern oder von der Gesellschaft propagiert wurden, mir jedoch im Wege standen, wenn ich eine engere Vertrautheit mit Empfinden und Geist erlangen wollte. Als sich dann eine Umwandlung in mir vollzog, empfand ich die Hierarchie des dionysischen Systems zunehmend als unausgegorenes, bloßer Theorie entsprungenes Gedankengut. Auf der Suche nach der Wahrheit betete ich inbrünstig. Man hatte mich gelehrt, daß es irgendwo da draußen Engel gibt, und ich hatte mich in Richtung Himmel gewandt, um mit ihnen in Kontakt zu treten. Inzwischen schien mir das jedoch nicht mehr der richtige Weg zu sein. Mir wurde klar, was ich im Unterbewußtsein längst wußte, daß nämlich auch ich ein Engel bin und es für mich noch weit mehr zu erfahren gab.

Ungefähr zur selben Zeit, als das herkömmliche System seinen Reiz für mich verlor, stieß ich auf die Bücher von Ceanne DeRohan. Sie erzählten eine ganz andere Geschichte unserer Schöpfung und unseres Ursprungs, und diese Geschichte empfand ich als die wahre. Denn wenn ich meine eigenen Erfahrungen betrachtete, so offenbarten sich mir tatsächlich Zusammenhänge. Als ich lernte, daß viele Menschen Merkmale von Engeln in sich vereinen, betrachtete ich Engel nicht länger als andere Wesen, sondern vielmehr als einen Teil von mir selbst. Als wir auf diese Erde kamen, ging die Erinnerung daran, wer wir wirklich sind, verloren, und fortan folgten wir falschen Überzeugungen.

Nach der Lektüre von Ceannes Büchern hatte ich keine andere Wahl, als die Hierarchie der Engel neu zu ordnen. Ich tat das, indem ich eine Sichtweise einnahm, die meinen ureigenen Empfindungen Rechnung trägt und zum Ausdruck bringt, wie sehr ich mich der Wahrheit verpflichtet fühle. Die Ordnungen der Engel, wie sie in diesem Buch beschrieben sind, basieren auf Ceannes Schriften und stellen einen radikalen Bruch mit der traditionellen Sichtweise dar. Nach wie vor ist mein Ausgangspunkt dabei jedoch die abendländisch-westliche Kultur mit ihrer entsprechenden Begrifflichkeit, wenn auch Elemente der Kabbalah und des Koran, essenische Weisheiten sowie Gedankengut des Hinduismus, transpersonaler Psychologie und der Universalbewußtheit des New Age einfließen. Durch diesen multikulturellen und multireligiösen Ansatz wird der Art und Weise ein ganzheitliches Element verliehen, wie Engel sowohl aufeinander als auch auf die Möglichkeit, das System als Instrument der Transformation einzusetzen, ansprechen. So wird in *Raphael und die Heilung* unterschiedliches Gedankengut miteinander vereint – die Engelforschung verschiedenster Quellen mit Science of Mind, Louise Hay, Shakti Gawain, Ascended Master Channelings, Ceanne deRohan und mit meinen eigenen, ganz persönlichen Erfahrungen. Im Freisetzungsprozeß verbinde ich Eva Pierrakos' Pathwork mit den Erfahrungen, die ich in San Diego in der Gruppe Miracle of Love Intensive machen durfte. Die Sakramente oder Legesysteme wurden beeinflußt von Tarot, den Sacred Path Cards, dem Freisetzungsprozeß, den Schöpfungstechnologien – und natürlich den Engeln selbst, die nicht aufhören, mich mit neuen Offenbarungen in Erstaunen zu versetzen.

Mit *Engel – Himmlische Helfer* möchte ich die Erinnerung an Deine ganz eigene Wahrheit wachrufen, so wie die Arbeit an diesem Spiel meine wachgerufen hat. Versuche, in den Engeln Dich selbst zu finden. Versuche herauszufinden, was Dich alles von Deiner Wahrheit trennt, und klammere dabei auch Vorstellungen im Sinne der traditionellen Engelhierarchie nicht aus. Tauche ganz in Deine Empfindungen ein, wenn Du diese Brücke zum Geist erkundest. Die Engel laden Dich ein, ein Leben lang den Pfad der Selbst-Umwandlung zu beschreiten. Bis hierher hat Dich schon Dein eigenes Ewiges Ich geführt, und es hat auch viele dieser Engel bereits angerufen, so daß Dir einige vielleicht bekannt vorkommen. Wenn Du erst mit ihnen vertraut bist, werden sie Dir auf ewig wahre Freunde sein. Je mehr Du zu geben und nehmen bereit bist, desto mehr werden sie Dich mit unvorstellbarer Liebe und Freude umgeben. Wenn Du dann schließlich Deine göttliche Wahrheit gefunden hast, wirst Du das Tor zu einem Leben öffnen, das Du Dir nie zu erträumen gewagt hättest.

Kimberly Marooney

Wer sind nun die Engel?

Engel sind die Boten Gottes, und all ihre Fähigkeiten verdanken sie dem Großen Geist. Ohne einen eigenen Willen zu haben, leben sie im Willen Gottes und sind stets in Danksagung und Lobpreisung vereint. Sie werden durchströmt von der Liebe und Weisheit der Ewigkeit, die sie auch uns zuteil werden lassen, von der Heilkraft, die auch auf uns übergeht.

Wenn die Engel Dich in ihren Bann ziehen, dann vielleicht deshalb, weil Du selbst ein Engel bist. Viele von uns treibt das unausgesprochene Verlangen, die Erinnerung daran wachzurufen, wer wir wirklich sind. In der Hoffnung, dem Zauber auf die Spur zu kommen, der uns befreien wird, ziehen wir auf unserer Suche Bücher zu Rate und wenden uns ganz unterschiedlichen Lehren zu. Und in der Weisheit der Engel offenbart sich genau dieser Zauber. Die Freiheit ist ein Geschenk Gottes, und nur er allein kann Leid und Leiden von uns nehmen. Schließe Deine Augen und bitte die Engel, Dich mit ihrer Liebe zu umfangen. Wenn Du Tränen in Dir aufsteigen fühlst und Dir vor Sehnsucht nach der Heimat das Herz brechen will, dann wirst Du diese Wahrheit erkennen. Aus der Heimat bist Du gekommen – sie ist der Ursprung Deines Daseins und Dein Lebensquell. Nenn sie Himmel oder Ewigkeit oder gib ihr einen anderen Namen, dessen Klang Dein Herz erfüllt. Weit mehr als nur ein Ort, verbirgt sich hinter diesem Begriff auch ein Bewußtseinszustand, den man bereits hier auf Erden bewußt erleben kann. Die Wahrheit, wer Du bist, ist weder dort draußen noch dort oben oder anderswo zu finden, sie steckt vielmehr tief in Dir selbst.

Fühlst Du Dich andererseits einfach nur von Engeln angezogen und hältst alles übrige für Unsinn, dann ist das genauso in Ordnung. Wenn das Wort *Gott* in diesem Buch auftaucht, kannst Du statt dessen einfach einen Begriff wählen, der Dir eher zusagt – Höhere Macht etwa, Ursprung, Universum, Ewigkeit, Licht oder

Großer Geist. Auch steht es Dir frei, alle geschlechtsspezifischen Ausdrücke durch Worte Deiner Wahl zu ersetzen. An verschiedenen Stellen ist darüber hinaus von *Reinkarnation* und dem *Reich des Übernatürlichen* die Rede. Sollten Dir diese Vorstellungen Unbehagen bereiten, so suche einfach heraus, was Dich weiterbringt, und schenke dem keine Beachtung, was für dich keine Gültigkeit hat. Die Begriffe sollen lediglich Deiner Selbstfindung dienen. Wenn Dir daran liegt, dem Sinn auf die Spur zu kommen, wirst Du Dich neuen Tiefen der Selbsterfahrung und Einsicht öffnen.

Der Himmel wird buchstäblich von Millionen Engeln bevölkert. Wie den Menschen, so sind auch den Engeln ganz spezielle Aufgaben zugedacht, die ihrer jeweiligen Entwicklungssstufe, ihren Interessenlagen und Begabungen entsprechen. In *Engel – Himmlische Helfer* begegnen wir 44 verschiedenen Aufgaben oder Wesenszügen Gottes, in Wirklichkeit gibt es derer jedoch Millionen. So steht die Karte der Liebe stellvertretend für die Art Hadraniels, einen Engel der Ersten Ordnung, seine Liebe auf ganz eigene Weise auszudrücken. Dabei ist es üblich, daß die Heerscharen der Engel zwar ihre eigene Variante des entsprechenden Wesenszuges Gottes praktizieren, dessen höchste Manifestation jedoch Gott vorbehalten ist.

Jeder einzelne von uns hat seine eigene Schar mächtiger Lichtwesen, die uns leiten, schützen und für uns sorgen. Einige bleiben nur solange, bis sie ihre spezielle Aufgabe erfüllt haben, andere dagegen stehen uns während unseres ganzen Reifungsprozesses zur Seite. Suche die Freundschaft der Engel, vor allem Deiner ganz persönlichen Schar. Jeder Engel hat seinen Namen, sein ureigenes Verständnis und eine unverwechselbare Art zu helfen. Du mußt versuchen, die Gegenwart jedes einzelnen zu spüren. Nur selten zeigen sich die Engel wahrhaftig, daher müssen wir in der Lage sein, ihre geheimen Botschaften zu deuten, wie zum Beispiel ein inniges Herzbegehren. Du mußt Wege finden, sie aktiv an Deinem Leben teilhaben zu lassen. Die Engel warten nur darauf, daß Du Dich zu ihnen bekennst, damit sie Dich mit ihren Segnungen und ihrer Liebe beglücken können, wenn Du Dich nur öffnest – mehr und *mehr* und ***immer mehr***!

Vom Umgang mit den himmlischen Helfern

Wenn Du Dich mit *Engel – die himmlischen Helfer* beschäftigst, so lädst Du die Engel ein, in Dein Leben zu treten und Dir auf jede nur erdenkliche Art und Weise zur Seite zu stehen. Wenn Dir daran liegt, Dir die Präsenz der Engel bewußt zu machen, dann sende Deine Sehnsucht oder Frage auf einer Welle tiefen Empfindens aus, die direkt von Herzen kommt. Die Legesysteme, die spontan gewählte Karten in ganz eigenen Anordnungen miteinander kombinieren, lassen Dir als Antwort auf Deine Fragen Einsicht und Geleit zuteil werden. Auf diese Art werden die Legesysteme zu Sakramenten und erinnern Dich stets daran, die Präsenz der Engel voller Liebe und Verehrung herbeizuführen. Empfindest Du ganz intensiv und wahrhaft von Herzen, dann wirst Du besonders gut mit ihnen in Verbindung treten können.

Wenn Du Gefühle in Dir aufsteigen spürst, so halte ein und schenke ihnen Beachtung. Versuche, diese Erfahrung nicht zunichte zu machen, indem Du darüber sprichst. Dein Körper reagiert vielleicht mit einer Änderung des Atmungsverhaltens, mit Lautäußerungen und Bewegung. Unterdrücke diese Reaktionen nicht und verschwende keinen Gedanken daran, wie Du wohl aussehen magst. Vertraue einem Tagebuch Deine Fragen an, die daraus erwachsenden Gefühle genauso wie die Antworten, die das Leben für Dich bereithält.

Wenn Du die Sakramente verwenden willst, so suche Dir zuallererst eines heraus, das Deiner Situation entspricht. Konzentriere Dich ganz auf Dein Verlangen und formuliere Deine Frage möglichst genau und eindeutig. Halte sie schriftlich fest und mische dann die Karten, während Du Dich gleichzeitig auf Deine Frage konzentrierst und von Deinen Empfindungen erfüllt bist. Hebe nun die Karten der Reihe nach ab und lege sie einzeln und verdeckt ab, wobei Du die Reihenfolge der Zahlen und die Anordnung einhalten mußt, wie sie die von Dir gewählte Anleitung vorsieht. Drehe die Karten dann um und lies Dir die entsprechenden Abschnitte über die jeweiligen Engel gut durch. Mache Dir Gedanken darüber, in welcher Beziehung die einzelnen Engel zu Dir stehen, welche Bedeutung sie an der entsprechenden Position des Legesystems haben und wie sich die Engel mit vereinten Kräften darum bemühen, Dir zu helfen. Wende Dich im Laufe eines Tages immer wieder mit der Bitte um Führung an sie und harre ihres Segens voller Dankbarkeit.

Der Sinn besteht darin, ein Gefühl für die Engel und Dein Ewiges Ich zu entwickeln und mit beiden in Kommunikation zu treten, damit Du schließlich bedingungslose Liebe in Dir birgst – Liebe, die frei ist von Leid und Leiden. In diesem Zusammenhang ist Dein Ewiges Ich der Teil von Dir, der nie von Gottes Seite gewichen ist. Manche nennen es auch das Hohe Ich oder das Wahre Ich, Kosmisches Bewußtsein, Christusbewußtsein, Gott-Ich, Seele, ICH BIN oder Großes Kosmisches Wesen. In diesem Buch ist oft von dem *Ewigen Ich* und *Gott* die Rede. Ersetze diese Begriffe ruhig durch solche, die für Dich größere Aussagekraft haben.

Fang ganz einfach mit dem Engel des Tages an und versuche, Dich mit den Engeln bekannt zu machen. Jeder einzelne von ihnen steht für ein ganz eigenes Empfinden, eine Gabe – also einen Wesenszug Gottes – und eine Herausforderung. Damit eine wirklich dauerhafte Wandlung vollzogen werden kann, ist es von großer Bedeutung, all diesem Beachtung zu schenken. Meditiere und rufe aus dem heiligen Gefühl der Liebe einen Engel an Deine Seite. Versuche Dich dann an den verschiedenen Sakramenten, passe sie Deinen Bedürfnissen an oder erfinde gar neue. Gib Dich zur Erreichung Deiner Ziele auch den Experimenten mit den mächtigen, das Leben bereichernden Tätigkeiten hin, die wir hier Entwicklungsprozesse nennen.

Die Sakramente

(Legesysteme)

Ein Sakrament ist Ausdruck des inneren Sehnens unseres Geistes, der nach Vereinigung mit dem Ewigen Geist strebt. Sakramente, die bei feierlichen Anlässen gespendet werden, anläßlich einer Hochzeit etwa, einer Geburt, eines Todesfalles oder bei Kommunion und Taufe, sind uns vertraut als Mittel, Ereignisse mit großer Tragweite für unser Leben zu weihen. Wenn man gesammelt ist und das Herz offensteht zu empfangen, dann sind alle Anwesenden vereint im Geiste der Gemeinschaft und Andacht. Diesen Sakramenten ist auch die Fähigkeit zueigen, in hohem Maße Wachstum und Wandel herbeizuführen. Wie sehr Du darauf ansprichst, hängt allein von Dir ab.

Engel des Tages macht Dich jeweils mit einem neuen Engel bekannt. Mache Dich mit dem Empfinden, der Gabe und der Herausforderung vertraut, für die ein jeder steht.

Einstimmung leitet Dich dazu an, Körper, Geist und Seele mit den Engeln in Einklang zu bringen. Dies ist als Übung für jeden Tag geeignet oder gibt Dir rasch Auskunft darüber, wie weit Du in Deinem Bemühen schon gediehen bist.

Stelle eine Frage bietet Einsicht in Bereiche, die sich gerade neu auftun, oder erhellt Entscheidungen, die zu treffen sind.

Der Göttliche Plan hilft Dir, die nächsten Schritte Deiner Heimkehr ins Auge zu fasen. Hinterfrage, ob jede einzelne Deiner Entscheidungen Dich Deinem Ewigen Ich näherbringt.

Raphael und die Heilung versucht, die Heilkraft dieses Erzengels und seiner Heerscharen auf Deinen Körper, Deinen Geist und Deine Gefühlswelt zu lenken.

Nisroc und die Freiheit lehrt dich, die Scheinwelten um Dich herum zu erkennen, die verhindern, daß du Dich von allem freimachen und zur wahren Gott-Erkenntnis gelangen kannst.

Der Kuß des Schutzengels erweckt die liebevoll innige Freundschaft mit Deinem Schutzengel zu neuem Leben. Dabei ist es ihr ein Herzensanliegen, Du mögest ihre Stimme hören und ihre zärtliche Umarmung fühlen, wenn sie Dich Schritt für Schritt auf Deinem Weg geleitet.

Liebe und Bindungen bringt Dir die liebevolle Gegenwart Haniels nahe, wenn Du stets aufs neue Deine Fähigkeit, zu geben und zu nehmen, einer Prüfung unterziehst.

Engel des Tages

Bevor Du am Morgen den Engel des Tages auswählst, mache Dir kurz Gedanken über den Tagesablauf. Die Auswahl kann folgendermaßen geschehen:

- Mische die Karten und rufe den Engel an, der Dir am meisten helfen kann; ziehe dann eine Karte.
- Sieh die Karten durch, bis Dir eine ins Auge sticht oder Dich anspricht.
- Gehe die Karten der Reihenfolge nach durch.
- Suche Dir den Engel aus, der Dich am wenigsten anspricht.

Jede Art und Weise, die Dir richtig erscheint, ist es auch. Der Engel, den Du ausgewählt hast, verfügt über die Gabe, die Dir im Tagesverlauf helfen wird und Dich für alle Unbill wappnen wird.

Auch eine unbillige Situation hat gute Seiten. Sie zwingt Dich dazu, Dein Herz zu öffnen und Dein Bewußtsein zu erweitern, indem sie Bereiche und Gefühle an die Oberfläche bringt, die Du Dir nicht eingestehst oder gar unterdrückst. Bist Du dann zur Einsicht gekommen, so wird der Engel Dir seinen Segen oder die Gabe zuteil werden lassen, die an die Stelle der ausgeräumten Illusion tritt. Unter Illusion ist ein Urteil zu verstehen, eine Überzeugung oder Verhaltensweise, die verhindert, daß man Liebe gibt oder empfängt. Vielleicht beurteilst Du Menschen nach ihrem Äußeren, empfindest Angst oder Zorn und weißt nicht, warum; vielleicht bist der Überzeugung, Du wüßtest, wie die Dinge sich darzustellen hätten, oder Du hast gar eine selbstzerstörerische Ader, die sich etwa darin manifestiert, daß Du rauchst oder Dich von anderen schlecht behandeln läßt. Jede einzelne dieser Verhaltensweisen entzweit Dich mehr von Deinem Ewigen Ich. Die Aufgabe der Engel besteht nun darin, Dir den richtigen Weg zu weisen, damit Du heimkehren kannst.

Wenn Du einen Engel ausgesucht hast, gib Dich ganz der Meditation hin. Ruf den Engel an, indem Du an seinen oder ihren Namen oder die Gabe denkst. Sende diesen Ruf von einem mit Liebe erfüllten Herzen aus und verbinde ihn mit dem *starken Verlangen,* die Gegenwart des Engels auch *zu spüren.* Jeder einzelne von ihnen hat seine eigene Persönlichkeit – einige sind behutsam und sanftmütig, andere stecken voller Eifer und Tatendrang; manche haben ein eindeutiges Geschlecht, andere sind geschlechtslose Wesen. Sei für jede Wahrnehmung empfänglich, und wenn Du spürst, daß eine Verbindung besteht, so versuche, Worte der Weisheit in Dir aufzunehmen. Stelle Fragen und schreibe sie zusammen mit den Antworten nieder.

Lies als nächstes den Abschnitt über den betreffenden Engel. Wenn Du Dir dann Gedanken über seine Gabe – etwa die Liebe – machst, überlege Dir, wie weit Du schon darin gediehen bist, dieses Element in Dein Leben einzubinden. Stelle auch Gedanken zu den Herausforderungen an, das heißt, wenn Du anderen etwa nicht immer gleich in Liebe zugetan bist oder wenn Du ihrer Liebe zu Dir Rechnung tragen mußt. Bitte dann den Engel um Hilfe, damit Du seine Gabe vollständig in Dir aufnehmen kannst und in die Lage versetzt wirst, ähnliche Illusionen als solche zu erkennen. Halte all Deine Einsichten und Erkenntnisse in Deinem Tagebuch fest.

Lege dann die Engelkarte irgendwohin, wo sie Deiner Aufmerksamkeit während des ganzen Tages nicht entgehen kann – in Dein

Auto, das Portemonnaie, die Aktentasche, auf Deinen Altar oder Schreibtisch beispielsweise. Höre Dir die empfohlene Musik an. Besinne Dich von Zeit zu Zeit wieder auf Deinen Engel und versuche, seine Gabe zu spüren.

Einstimmung

Das Sakrament der Einstimmung leitet Dich dazu an, Körper, Geist und Seele mit den Engeln in Einklang zu bringen. Den meisten von uns fehlt es an innerer Harmonie, da wir in unserem täglichen Leben weit davon entfernt sind, das zu tun, was uns unser Ewiges Ich oder die Seele heißt. Wenn jeder dieser Einheit andere Aufgaben zugedacht werden, kann man nur schwer einen Zustand äußerster Konzentriertheit und Klarheit erlangen. Wenn Dich Deine Arbeit zum Beispiel Gott nicht näherbringt, Du sie vielleicht gar haßt, dann wird Dein Körper unter Umständen mit Krankheit reagieren, um Dir zu signalisieren, daß Du Deine Lebensumstände ändern mußt. Du siehst Dich Hindernissen gegenüber, findest Dich nicht mehr durch und vermutest hinter jeder Ecke Sabotage. Sind Körper, Geist und Ewiges Selbst erst einmal in Einklang, dann ergibt sich alles wie von selbst, und Dein Wille ist eins mit dem Göttlichen Plan.

Wenn Du die Karten nun mischst, konzentriere Dich ganz auf das Einssein mit Geist. Steht dies dann im Mittelpunkt Deiner Gedanken, ziehe drei Karten und lege sie in der unten gezeigten Anordnung verdeckt ab. Rufe Dir noch einmal die Fragen an Deinen Körper in Erinnerung, wenn Du die erste Karte umdrehst, und lies dann den Abschnitt über den betreffenden Engel. Gehe bei Geist und Seele mit den Karten Nummer 2 und 3 ebenso vor.

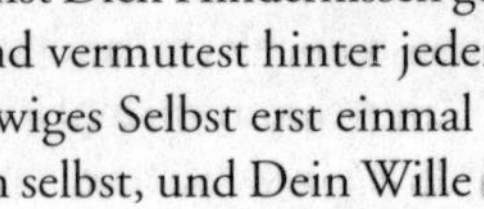

- *Körper.* Was geht gerade in Deinem Körper vor? Fühlst Du Dich gesund oder kränkelst Du? Befindet sich Dein Körper in einem Zustand, der von Wohlbehagen oder von Schmerzen gekennzeichnet ist? Steckst du voller Energie oder bist Du schnell am Ende Deiner Kräfte? Bist Du ausgeglichen oder getreßt? Fühlt sich Dein Körper sinnlich, sinnenfroh und orgasmisch an? Ist Dein Quantum an Essen, Schlaf und sportlicher Betätigung ausreichend? Wiegst du zuviel oder zuwenig? Haßt Du es vielleicht insgeheim gar, in Deinem Körper gefangen zu sein? Welche Botschaft will dieser Engel Dir übermitteln?
- *Geist.* Ist Dein Geist Deinem höchsten Gut zu- oder abträglich? Achte einmal auf das, **was Dein Ich sagt**. Schreibe ein paar Tage lang auf, was Dein Geist Dir übermittelt, während Du eintönige Aufgaben erledigst, auf etwas wartest, Auto fährst, arbeitest, in den Spiegel schaust, für andere sorgst, das Haus putzt etc. Diese Selbst-Äußerung basiert auf dem, was Dir Deine Eltern als Kind vermittelt haben und auf den Entscheidungen, die Du getroffen hast und die Dein Leben bestimmen. Sind diese Äußerungen negativ, so unterlege sie mit positiven Aussagen. Die einzige Möglichkeit, einen dauerhaften Wandel herbeizuführen, besteht darin, die Gründe, die hinter den negativen Aussagen stecken, durch die Lockerung der Umklammerung zu beseitigen. Durch diese Umprogrammierung versetzt Du Deinen Geist in einen Zustand der Bejahung und Harmonie. Welche Hinweise liefert dieser Engel, wenn er Deinen Geist freimacht, damit er Dein bester Freund werden kann?
- *Seele.* Welches ist Dein innigster Wunsch, wenn Du betest oder meditierst? Wem gilt Dein Sehnen? Was sagt die leise Stimme in Deinem Inneren, die mit sich selbst im reinen ist? Wie spricht dieser Engel darauf an?

Dies ist Deine Engelschar für den Tag. Nimm die Gaben ebenso an wie die Herausforderungen, die vielleicht die Chance einer Heilung bergen. Halte die Führungsbotschaften der Engel in Deinem Tagebuch fest und stelle einen Plan zur Umsetzung auf. Öffne Dein Herz und fühle, wie sie Dich in ein Gewand aus Liebe und Energie hüllen.

Stelle eine Frage

Stelle immer dann eine Frage, wenn Du besonderer Einsicht in Bereiche bedarfst, mit denen Du konfrontiert wirst, oder wenn eine Entscheidung ansteht. Die Frage sollte so präzise wie möglich formuliert sein. Wenn Du darüber nachdenkst und empfindest, welche Bedeutung diese Frage für Dich hat, mische die Karten. Wenn Du meinst, die Karten sind bereit, ziehe entweder die obersten drei oder drei beliebige, die sich genau richtig anfühlen, und lege sie verdeckt nebeneinander ab. Drehe sie dann nacheinander um und finde ihre Bedeutung heraus.

- *Realität des Augenblicks.* Der erste Engel wird Dir zu der Einsicht verhelfen, welche Kräfte für die fraglichen Bereiche maßgeblich sind.
- *Die Herausforderung.* Der zweite Engel wird Dir helfen, die Herausforderung oder Chance zu erkennen, die dieser Bereich darstellt. Du mußt bereit sein, das damit verbundene tiefere Empfinden aufzuspüren, das nicht an der Oberfläche zu finden ist. Dazu ist es bisweilen vonnöten, daß Du Dir Gefühle eingestehst, die Du unterdrückst, weil sie Dir falsch oder verabscheuungswürdig erscheinen oder Dir gar Angst einflößen. Was läßt Du aus Furcht nicht an die Oberfläche dringen? Warum nicht?
- *Die Gabe.* Der dritte Engel beschert Dir die Gabe, mit deren Hilfe Du die Herausforderung als solche erkennen und annehmen kannst oder die Dich befähigt, eine Chance auch wirklich zu nutzen, wenn sie sich bietet. Öffne Dein Herz und lasse die Einsicht sowie die ungeahnten Lösungen und Segnungen, die dieser Engel Dir anträgt, einströmen.

Mit Hilfe dieses mächtigen Werkzeugs wirst Du befähigt, Deine Gedanken und Gefühle ganz auf die Heimat auszurichten. Suche die Karte Micahs und lies den entsprechenden Abschnitt. Meditiere dann über ihren Sinn. Stecke die Karte wieder zwischen die anderen und mische sie. Hebe nun die obersten acht Karten ab und lege sie in der unten beschriebenen Anordnung der Reihe nach verdeckt ab.

Drehe sie nun einzeln um und vernimm die Botschaft eines jeden Engels entsprechend seiner Position. Suche die Gabe und Herausforderung, die ein jeder verheißt. Bitte die Engel darum, den nächsten Schritt auf dem Weg zu Deinem Göttlichen Plan zu enthüllen. Mache Dir bewußt, wie all die Engel zusammenarbeiten, um Dir zur Seite zu stehen. Werde Dir jedes Gedankens und jedes Gefühls bewußt, so wie sie Dich durchströmen. Dabei hilft es sehr, Tagebuch und Schreibwerkzeug bereitzuhalten, um Eingebungen und Weisheiten festzuhalten.

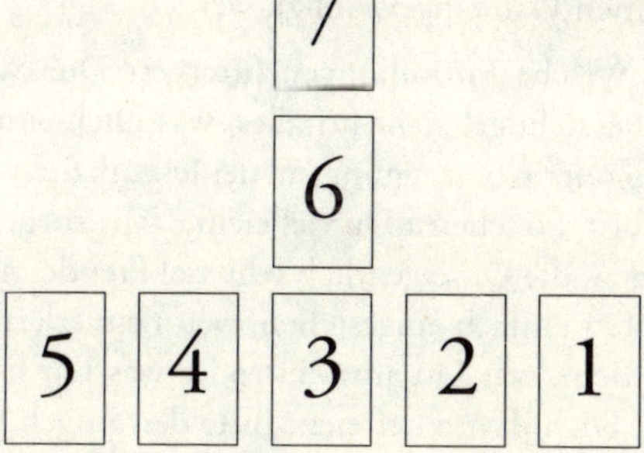

- *Realität des Augenblicks.* Unterziehe Deine gegenwärtige Situation einer kritischen Betrachtung. Welche Ereignisse bestimmen Dein Leben? Reflektiere über Dein Verhältnis zu Deiner Familie, zu Freunden und Kollegen; beziehe Deine Arbeit mit in Deine Überlegungen ein, Dein Freizeitverhalten, ja, alles, was Dir Glück oder auch Ärger beschert. Wie stellen sich Deine häusliche und die finanzielle Situation dar? Mache Dir Gedanken darüber, wie sich all dies auf Deinen spirituellen Pfad auswirkt. Führt es Dich mit dem Ewigen zusammen oder entzweit es euch? Wie kann dieser Engel helfen? Welche Weisheit wird vermittelt?

- *Die Herausforderung.* Welches stellt im Moment die größte Herausforderung für Dich dar? Zieht sich ein roter Faden durch die unerwünschten Ereignisse Deines Lebens? Du mußt lernen, auch die Segnungen zu erkennen, die sich in Form von Herausforderungen manifestieren, da sie dazu dienen, die Illusionen zutage zu fördern, die Deinem vollständigen Erwachen im Wege stehen. Welche Gabe überreicht dieser Engel, um die Herausforderung auszumachen und anzunehmen.

- *Geist des Engels.* Dieser Engel bringt Segen, indem er das Bewußtsein aus Deinem eingeengten niederen Ich zu Deinem Ewigen Ich erhebt – aus der Profanität des Alltags zur glanzvollen Manifestation bedingungsloser Liebe. Dieser Engel hilft Dir, Herausforderungen zu erkennen und zu überwinden; er öffnet Dich, um in Deinen Plan eingeweiht zu werden.

- *Befreiung.* Welche Enthüllungen fürchtest Du? Was hält Dich zurück? Dieser Engel steht für alles, was Dich einengt, für eine Auffassung oder Überzeugung, an der festzuhalten Du nicht länger bereit bist. So scheust Du vielleicht davor zurück, eine Arbeit anzunehmen, die Dir eigentlich sehr viel Freude machen würde. Du mußt Dir einfach eingestehen, wenn ein erlerntes Verhalten Dich von dem, was Du anstrebst oder was Dir lieb ist, trennt, und mußt Dich davon befreien. Bitte den Engel, Dir zu helfen, damit Du den dargebotenen Segen auch wirklich empfangen kannst.

- *Deine Weisheit.* Du weißt und empfindest bereits weitaus mehr, als Dir bewußt ist. Dieser Engel soll Dir helfen, daß Du auf Deine Weisheit zurückgreifen kannst und Deine Fortschritte und Fähigkeiten erkennst.
- *Deine Fähigkeiten und Begabungen.* Alles, was Du in Deinem Leben je getan und gelernt hast, dient nur der Vorbereitung dazu, Deinen Göttlichen Plan verwirklichen zu können. Du wirst überrascht sein, wie wunderbar alles zusammenpaßt. Mache eine Bestandsaufnahme Deiner Fähigkeiten. Schreibe alles auf, was Du gut kannst – in der beruflichen Bildung, bei Führungsaufgaben, in Deinem künstlerischen Schaffen, im Bereich der Organisation und Kommunikation, im Umgang mit Computern und technischen Aufgabenstellungen, wenn Du anderen zu Dienste bist, Deinen Hobbys nachgehst oder Sport treibst. Notiere auch all die Dinge, die Dir Freude bereiten oder Dich mit Liebe erfüllen. Dieser Engel wird Dir helfen, Dein spirituelles Verlangen mit Deinen tatsächlichen Fähigkeiten in Einklang zu bringen.
- *Die Botschaft.* Diese Botschaft stellt einen Segen dar oder soll die Erinnerung in Dir wachrufen, damit Du durch die Ermutigung gestärkt wirst. Es wird wiederum eine Herausforderung gestellt, damit Du erneut eine dieser Illusionen beiseite räumen kannst, die der Vereinigung mit Deinem Ewigen Ich im Wege stehen.
- *Die Gabe.* Die Botschaft dieser Engelsgabe zu deuten ist ganz und gar Dir selbst überlassen. Halte in Deinem täglichen Leben Ausschau danach. Versuche zu erkennen, wann dies geschieht, und halte es in Deinem Tagebuch fest.

Raphael und die Heilung

Lasse Dich bei Heilung von Körper, Empfinden und Geist in tiefer Mediation von Raphael, dem Erzengel, leiten. Suche seine Karte heraus und lies den Abschnitt über ihn durch. Ruf ihn an und bitte um seine Heilstrahlen. Wenn Du eine Verbindung spürst, lege seine Karte wieder zu den anderen.

Sinniere darüber nach, wie sich Deine Situation oder die eines geliebten Menschen darstellt. Mische die Karten und lege die obersten in der unten dargestellten Anordnung verdeckt ab. Drehe die Karten nun einzeln in der angegebenen Reihenfolge um und lies den entsprechenden Abschnitt über den jeweiligen Engel. Mache Dir seine Bedeutung hinsichtlich der Fragestellung klar. Bevor Du dann zur nächsten Karte übergehst, halte die Einsichten in Deinem Tagebuch fest.

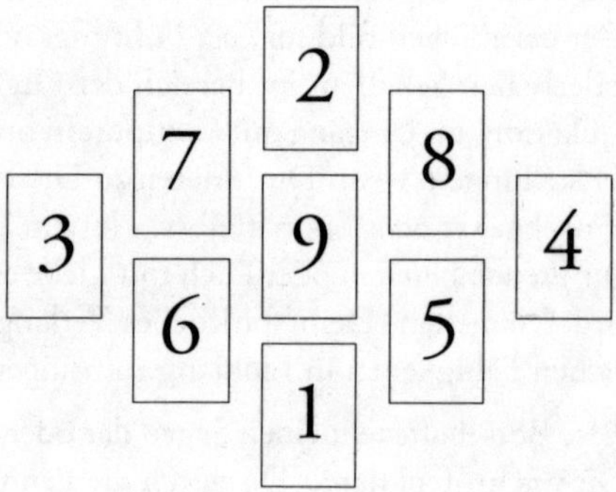

- *Realität des Augenblicks.* Was bedarf der Heilung?
- *Herzenswunsch.* Wonach strebst Du im Grunde?
- *Die Lehre.* Was will Dir diese Situation mitteilen? Was entgeht Deinem Auge oder dringt nicht an Dein Ohr?
- *Die Herausforderung.* Deine augenblickliche Situation ist vielleicht gekennzeichnet durch eine Krankheit oder ein Verhaltensmuster, das Du stets an den Tag legst; durch Empfindungen, die auf eine frühere Erfahrung zurückgehen und immer wieder in Dir aufsteigen; oder durch jemanden, der Gefühle und Verhaltensweisen in Dir hervorruft, gegen die Du Dich sträubst. Was willst Du nicht an die Oberfläche dringen lassen? Was bedarf einer Katharsis?

- *Die Gabe.* Dieser Engel kann Dir Einsicht in die Art der Herausforderung, vor der Du stehst, vermitteln und Dir helfen, den Glauben, die Kraft und den Mut aufzubringen, loszulassen und die Heilung einsetzen zu lassen.
- *Loslassen.* Halt nicht länger an dem fest, was Deiner Heilung ebenso im Wege steht wie einer engeren Beziehung mit den Engeln.
- *Die Gabe.* Die Botschaft dieses Engels dient dazu, daß Du Heilstrahlen und Frieden empfangen kannst.
- *Freiheit.* Welche Freiheit beschert Dir diese Erfahrung? Welche Wahrheit soll durch diese Krankheit oder Erfahrung unterdrückt werden? Wenn Du beispielsweise gegen Deinen Willen etwas tun mußt, wozu Du dich verpflichtet fühlst, dann wirst Du krank. Wenn Du Dich in diesem Zustand der Selbstverleugnung befindest, mußt Du weder die Wahrheit noch „nein" sagen, und trotzdem werden Dir die Folgen leidvoll bewußt.
- *Die Heilkraft des Raphael.* Nach dieser für Dein Leben bestimmten Gabe mußt Du besonders gut Ausschau halten. Halte sie in Deinem Tagebuch fest.

Nisroc und die Freiheit

Wenn es darum geht, sich von seinen Illusionen freizumachen, ist Nisroc ein starker Verbündeter. Unter Illusionen sind Urteile, Überzeugungen und Verhaltensweisen zu verstehen, die verhindern, daß Du die Liebe anderer Menschen empfindest und zu wahrer Selbsterkenntnis gelangen kannst. Hast Du Dir als oberstes Ziel gesetzt, Dir Deiner dauerhaften Verschmelzung mit Deinem Ewigen Ich auch wirklich bewußt zu sein? Nutze dieses Sakrament als Hilfe, die Illusionen aufzuspüren und als solche zu entlarven.

Suche die Karte Nisrocs heraus und lies den Abschnitt über ihn. Wenn Du eine tiefe Verbindung fühlst, dann lege die Karte zu den anderen zurück. Spüre seine Kraft und Liebe, wenn Du jetzt die Karten mischt. Hebe die oberste Karte ab und lege sie an der Position „Illusion" längskant und vedeckt ab. Lege dann die zweite Karte, ebenfalls verdeckt, hochkant darüber, wie abgebildet. Lege dann die Karten drei, vier und fünf verdeckt an ihre jeweilige Position.

Beginne damit, daß Du Deine verborgenen Illusionen „hervorholst" und Karte eins offen neben die Karte der „Realität des Augenblicks" legst. Wenn Dir dann die Bedeutung der Illusionen klar wird, gehe mit jeder Karte wie gewohnt vor. Betrachte alle fünf Karten, damit Dir bewußt wird, wie Dir die Engel vereint Beistand leisten. Halte Deine Erkenntnisse in Deinem Tagebuch fest.

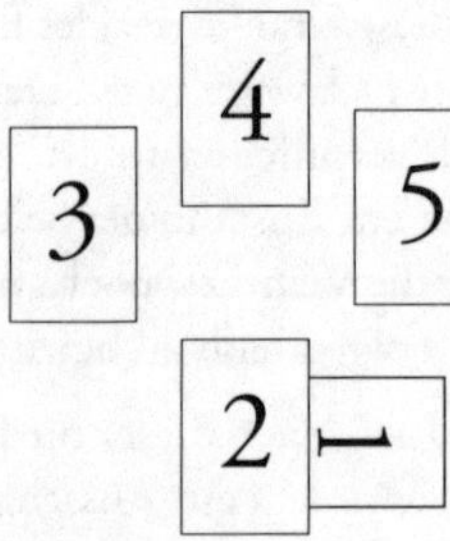

- *Die Illusion.* Was steht noch zwischen Dir und der Liebe? Durch nichts zeichnet sich wahre Freiheit mehr aus als durch Liebe. Die Engel befinden sich fortwährend in einem Zustand hingebungsvoller Ekstase und Anbetung. Können wir uns ebenfalls in einen solchen Zustand hineinversetzen, dann sind wir in der Lage, Verbindung mit den Engeln aufzunehmen.
- *Realität des Augenblicks.* Welche Ereignisse bestimmen Dein Leben? Spiegelt Dein Leben Scheinwelten wider?
- *Nisrocs Gabe.* Dieser Engel hilft Dir, die Illusion noch besser zu erkennen und Dich von ihr freizumachen.
- *Freiheit.* Welchen Nutzen bringt es, sich von Illusionen freizumachen? Wenn Du beispielsweise mit dem Rauchen aufhörst, wirst Du in die Lage versetzt, mehr Empfindungen wahrzunehmen. Bist Du etwa ein Perfektionist und machst Dir ständig

Selbstvorwürfe, weil Du zu hoch gesteckte Ziele nicht erreichst, dann mußt Du lernen, loszulassen und Dich freizumachen, damit Du einfach nur *sein* kannst.

- *Gabe Deines Ewigen Ichs.* Diese Botschaft soll Dir helfen, wahre Freiheit zu erfahren.

Der Kuß des Schutzengels
(Der nächste Schritt)

Viele Lebenszyklen hindurch steht Dir Dein Schutzengel nun schon zur Seite und weist Dir geduldig und gütig den Weg in die Heimat. Oft sperren und verschließen wir uns. Fange damit an, daß Du die Karte des Schutzengels ausfindig machst und den Abschnitt über sie durchliest. Rufe Deinen eigenen Schutzengel nun voller Sehnsucht und Inbrunst an. Wenn Du eine Verbindung spürst, frage sie nach ihrem Namen und der Weisheit, die zu vermitteln sie imstande ist. Stelle Deine Fragen zu dem nächsten Schritt, den Du vollziehen mußt. Halte ihre Führungsbotschaft in Deinem Tagebuch fest.

Stecke ihre Karte nun wieder zwischen die anderen und konzentriere Dich beim Mischen auf diese Gefühle. Lege dann die obersten Karten der Reihenfolge nach verdeckt ab und halte Dich an die unten vorgegebene Anordnung. Drehe sie nun einzeln um und versuche, die Bedeutung der jeweiligen Botschaft auszumachen. Bitte Deinen Schutzengel, Dir zu offenbaren, wie die anderen Engel mit ihr zusammenarbeiten, um Dir zu helfen.

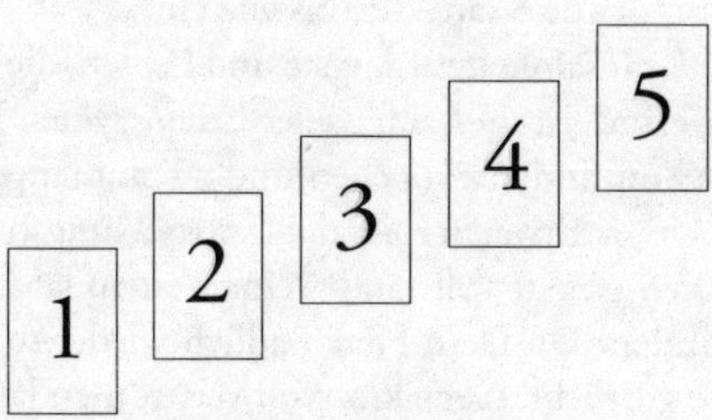

- *Realität des Augenblicks.* Welche Ereignisse bestimmen Dein Leben? Unterziehe Deine Lebensumstände einer kritischen Betrachtung. Mache Dir auch Gedanken darüber, wie Du zu anderen Menschen stehst und zu allem, was Dir Freude oder Ärger beschert. Reflektiere darüber, wie sich all dies auf deinen spirituellen Pfad auswirkt. Wie kann dieser Engel Dir helfen?
- *Dein nächster Schritt.* Was solltest Du als nächstes tun? Dieser Engel wird Dich mit seiner Gabe, einem Wesenszug Gottes, leiten. Bete inbrünstig, um die entsprechende Botschaft zu empfangen.
- *Loslassen.* Welche Gefühle und Erinnerungen von früher werden in Deinem Leben immer wieder wach? Dies ist das Zeichen dafür, daß die Zeit gekommen ist, sich von ihnen freizumachen.
- *Die Gabe.* Harre einer Botschaft, die Dich in die Lage versetzen wird, dieses Eingeengtsein zu überwinden.
- *Der Kuß Deines Schutzengels.* Dieser manifestiert sich vielleicht in einer Inspiration, einer neuen Freundschaft, in Anteilnahme oder Mut.

Liebe und Bindungen

Die Strahlen reiner, göttlicher Liebe, die Hadraniel und die Engel vom Ewigen Geist empfangen, senden sie aus, um uns auf Erden damit zu beglücken. Die Essenz seiner Liebe wird zu der Materie, aus der nicht nur unser Körper besteht, sondern auch alles, was wir auf dieser Welt sehen und berühren können. Und tatsächlich ist Liebe die verbindende Kraft, die uns alle eint.

Durch die Grausamkeiten, Ängste und Leiden, die alle Bestandteil des Lebens sind, ist im Laufe vieler Lebenszyklen Deine Fähigkeit, Liebe zu empfinden, zu geben und zu empfangen, geschmälert worden. Unter Erwachen ist der Entwicklungsprozeß zu verstehen, der Dich erneut vollständig eins werden läßt mit Deinem Ewigen Ich, indem Du Dein Herz endlich wieder so weit öffnest, daß Du selbst göttliche Liebe kraftvoll verströmen lassen kannst.

Suche die Karten von Hadraniel, Mihr, Soqed Hozi und Anael aus und lies sie durch. Versuche, sie in tiefer Meditation an Deine Seite zu rufen. Bitte sie darum, Dir die Bedeutung der vier Aspekte – Liebe, Bindung, Partnerschaft und Sexualität – zu offenbaren.

Ersuche sie darum, Dich so mit Liebe zu durchströmen, bis Du ihre Flamme in Deinem Herzen lodern fühlst. Bete darum, daß sich Dein Herz vollständig öffnet. Schreibe diese Erfahrung genauso nieder wie die Botschaften oder Weisheiten, die sie übermitteln.

Stecke die Karten nun wieder zwischen die anderen. Stelle Dir beim Mischen vor, Du seist mit geliebten Menschen zusammen, und lege die Karten in der unten beschriebenen Reihenfolge und Anordnung ab. Drehe sie nun einzeln um und versuche, die Botschaft eines jeden Engels zu deuten.

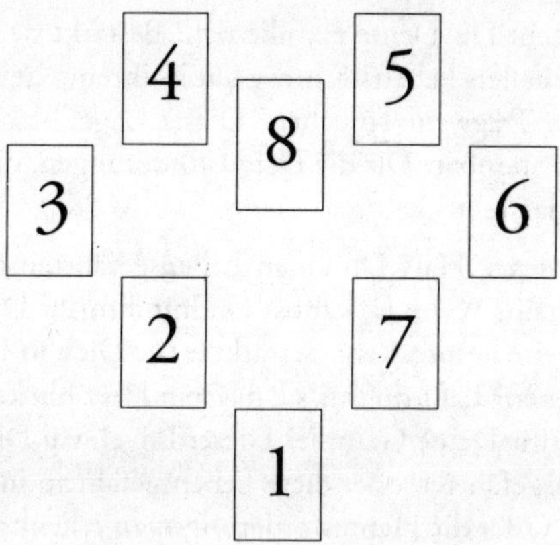

- *Realität des Augenblicks.* Wie verhalten sich die Menschen in Deiner Umgebung? Sind sie Dir in Güte zugetan oder stört Dich ihr Verhalten? Bist Du mit Dir selbst im reinen? Zu welcher Erkenntnis verhilft Dir dieser Engel?

- *Furcht.* Was fürchtest Du am meisten? Hast Du Angst vor enger Bindung? Fällt es Dir schwer, mit Freunden und den Menschen, die Du liebst, warm zu werden? Gehst Du in ihnen auf? Wie verschließt Du Dich gegen ihre Liebe zu Dir? Fürchtest Du, sie könnten sich von Dir zurückziehen, wenn sie erst einmal erfahren, was Du wirklich empfindest? Inwiefern offenbart Dir dieser Engel Deine Ängste?

- *Loslassen.* Damit Du Dich von Deinen Ängsten befreien kannst, hält dieser Engel die Gabe des Verzeihens für Dich bereit.
- *Freunde.* Bringen Deine Freunde Verständnis für Dein spirituelles Leben auf und bestärken sie Dich? Bereichern sie Dein Leben? Sind vielleicht neue Freundschaften erstrebenswert? Je weiter Du auf Deinem Pfad voranschreitest, desto wichtiger ist der Rückhalt, den eine Gemeinschaft verwandter Seelen bieten kann. Dieser Engel beschert Dir eine Gabe und Einsichten in Deine Angst davor, enge Bindungen einzugehen.
- *Familie.* Steht Dir Deine Familie nah? Bestärkt sie Dich in Deinem spirituellen Leben? Kannst Du in ihrem Kreis über Dinge von großer Tragweite sprechen? Dieser Engel beschert Dir eine Gabe und offenbart Dir die Herausforderungen, die die Familie für Dich darstellt.
- *Lebensgefährten.* Hast Du einen Lebensgefährten oder eine Lebensgefährtin? Wenn ja, kannst Du mit ihm/ihr Dinge von großer Tragweite besprechen? Bestärkt er/sie Dich in Deinem spirituellen Leben? Läßt du ihn/sie in Dein Herz blicken und offenbarst ihm/ihr Deine Gefühle? Dieser Engel will Dir helfen, diesen Lebensgefährten oder diese Lebensgefährtin inniger denn je zu lieben. Oder die Herausforderungen zu erkennen, die der innig liebenden und bejahenden Beziehung im Wege stehen, wie Du sie eigentlich verdient hättest. Dieser Engel kann Dir auch dabei helfen, den geeigneten Partner in Dein Leben treten zu lassen, wenn Du nur Dein Herz öffnest, um Liebe zu geben und zu empfangen.
- *Du selbst.* Bist Du selbstbewußt und offen genug, um Dich selbst zu lieben, oder bist Du ein selbstkritischer Typ? Wie spiegeln Dein Leben, die Arbeit, die Bindungen und Deine Familie die

Gefühle wider, die Du für Dich selbst hegst. Dieser Engel teilt die Gabe der Liebe mit Dir und kann Dich leiten, Deine Illusionen über die Liebe zutage zu fördern.

- *Die Gabe.* Der Wesenszug, mit dem Hadraniel Dich beglückt, versetzt Dich in die Lage, Liebe stärker zu empfinden als jemals zuvor. Halte gut Ausschau nach Zeichen seiner Gabe.

Die Entwicklungsprozesse

Entwicklungsprozesse sind Erlebnisse und Erfahrungen, die Dein Leben verändern und Dich Deinen Zielen ein Stückchen näherbringen. Zu Beginn mag es Dir scheinen, als liefen Entwicklungsprozesse rein mechanisch ab oder als seien sie gar unerfreulich. Mit ein bißchen Übung jedoch werden sie ein ganz natürlicher Bestandteil Deiner Art, das Leben zu meistern.

Jophiel und die Manifestation lehrt Dich, wie Du aufs neue eins werden kannst mit Deiner Ewigen Vision. Arbeite an der Verfeinerung Deiner visualisierenden Fähigkeiten, wenn Du Deine Vision Schritt für Schritt physikalische Gestalt annehmen läßt.

Nisroc und die Freiheit leitet Dich an, Dir einen Platz zu schaffen, an dem Du allein sein und Dich geborgen fühlen kannst. Außerdem wird er Dir zur Seite stehen, wenn Du gezielt tiefe Gefühle an die Oberfläche dringen läßt. Am Ende dieses Prozesses steht dann Freiheit von den unbewußten Folgen verleugneter Gefühle und die Fähigkeit, voller Energie spontan handeln zu können.

Partnerschaft erläutert die sechs Fähigkeiten, derer es bedarf, um eine Einheit herzustellen aus Liebe, Geschäft und Freundschaft.

Jophiel und die Manifestation

Es ist Gottes Wille, daß Deine Wünsche erfüllt werden. Aus dem Schöpfungszentrum Deines Herzens strömt die Kraft, Deine Gedanken und Gefühle in begriffliche Form umzuwandeln. Dieser Prozeß läuft ohne Dein Zutun ab und bringt oft unbeabsichtigt Schöpfungen hervor, die eigentlich gar nicht Deinen Vorstellungen entsprechen. Versuche, Kontrolle über Deine Schöpfungen zu erlangen! Wirf den ganzen Gefühlsballast ab und lasse Deine Gedanken fortan nicht mehr um Profanes kreisen, sondern rücke das Ewige in ihren Mittelpunkt.

Deine wahren Wünsche zu bekunden, läßt Dich wieder eins sein mit Gott und Deinem Ewigen Ich. Jeder Erfolg treibt Dich voran und bietet neue Einsichten. Je eindringlicher und nachdrücklicher Dein Sehnen ist, desto größer ist auch Deine Fähigkeit zur Manifestation.

Die folgende Übung wird Deine Vision noch mit den Kräften Reinheit und Sehnen ausstatten. *Mit dem richtigen Sehnen – von einem klaren Geist gebündelt – hältst Du den Schlüssel in der Hand!* Verliere die Wünsche Deines Herzens nie aus den Augen. Suche die Karten Jophiels, Paschars, Jamaerahs und Fortunatas heraus und lasse Dir ihr Geleit zuteil werden, wenn Du nun die entprechenden Abschnitte über sie durchliest.

Erster Schritt: Überlege Dir einen konkreten Plan oder einen Wunsch, der in die Tat umgesetzt werden muß. Es kann sich dabei um eine Sache oder ein Erlebnis handeln. Ist es förderlich, bringt es Dich weiter, bringt es Dich vor allem Gott näher? Es darf nichts Manipuliertes haben und nicht zu Lasten eines anderen gehen. Zu Anfang geht es leichter, wenn Dein Wunsch einfach und konkret zu erfüllen ist, damit Du auch weißt, wann dieses Ereignis eingetreten ist.

Zweiter Schritt: Bekunde Deinen Plan klar und präzise in allen Einzelheiten. Schreibe ihn auf, damit Dein Wunsch schwarz auf weiß festgehalten ist. Wenn Dir Zeremoniell etwas bedeutet, so ist dies eine gute Gelegenheit, Deinem Ewigen Ich und Gott nun Deine Absicht zu verkünden – auf ganz persönliche Art und ohne störende Einflüsse. Du kannst dies in sehr schlichter Form tun, indem Du etwa passende Musik spielst, eine Kerze anzündest und Deinen Plan oder Deinen Wunsch voller Hingabe und Liebe vorträgst.

Dritter Schritt: Schließe Deine Augen und beschwöre das Bild Deines Wunsches oder Planes herauf, so wie es sich sich letztendlich in seiner Vollkommenheit bieten wird. Konzentriere Dich auf so viele Einzelheiten wie möglich: wie es aussehen könnte, wie es klingen, riechen, schmecken oder sich anfühlen mag. Achte auch auf die Begleitumstände und Folgen. Lege dann Dein ganzes *Sehnen und Trachten* in dieses Bild. Ruft es keine Gefühle in Dir wach, befasse Dich nicht länger damit. Danach solltest Du mit Leben, Energie und Begeisterung aussgefüllt sein.

Wenn Du morgens aufwachst, konzentriere Dich voll auf Deinen Wunsch. Suche Dir einen Engel aus, lies seine Botschaft und lege die Karte dann an eine Stelle, wo Du so oft wie möglich auf sie aufmerksam wirst. Dein aktiviertes Bewußtsein sollte möglichst die ganze Zeit auf die Schöpfung gerichtet sein. Bemühe Dich unmittelbar vor dem Einschlafen darum, das Bild vor Deinem geistigen Auge deutlich heraufzubeschwören, damit die Kraft des Unterbewußstseins aktiviert wird. Sei vorsichtig, wenn Du über Deine Vision redest. Setzt Du Dich dadurch vielleicht dem Urteil anderer aus und schwächst so das Energiepotential, das Du aufbauen möchtest; oder sprichst Du gerade die richtigen Leute an, die Dir unter Umständen helfen können? Höre auf die Stimme Deines Herzens und handle nach eigenem Ermessen.

Sei offen für den Fluß kreativer Energie, die mit Deiner Vision einhergeht. Laß Dich von Deiner Bewußtheit und Deinem Feingefühl lenken. Du brauchst vielleicht nichts anderes zu tun als zu warten. Es mag sein, daß Du auf einmal von Menschen und Kräften umgeben bist, die ihre Hilfe anbieten; halte daher Ausschau nach ihnen und nimm ihre Hilfe an. Genausogut ist es aber möglich, daß Du aktiv an Deiner Schöpfung arbeiten mußt, indem Du Studien anstellst, Deine Vision noch stärker präzisierst, entsprechende Zustimmung einholst, Dich unterweisen läßt oder Dir Kapital, Lizenzen oder Unterlagen beschaffst. Sei flexibel und bereit, Veränderungen in Dir vorgehen zu lassen. Solange Du Deine Wahrheit nicht aus den Augen verlierst und loslassen kannst, wenn dies angezeigt erscheint, dann wirst Du über Deine Vision stets mit Deinem Ewigen Ich und Gott verbunden sein.

Vierter Schritt: Wenn Deine Manifestation vollendet ist, mußt Du das gebührend *feiern!* Finde Worte des Dankes für die Tat, die Du vollbracht hast! Gib Dich ganz dem Genuß Deiner Schöpfung hin.

Mache Dir dann Gedanken, was als nächstes kommt. Es war Gottes Wille, daß unser Leben stets reichere Erfahrungen an Liebe und Erfüllung bereithält.

Als Beispiel für eine Manifestation filtere ein Urteil oder eine unerwünschte Verhaltensweise (erster Schritt) heraus und überlege Dir dann, wie Dein Leben dadurch beeinflußt wurde (zweiter Schritt). Mache Dir bewußt, wie sich das Ganze diesmal dargestellt hat. Du mußt bereit sein, das zu empfinden, was dadurch mit Dir geschehen ist, und Deiner Wut, Angst, Beschämung, Eifersucht, Deiner Wertlosigkeit oder Hoffnungslosigkeit Ausdruck verleihen (dritter Schritt). Rufe Gott an, damit er Dich mit diesem Gefühl nicht allein läßt und es umwandelt in göttliche Liebe, Kraft und Mut. Feiere dann Deine Freiheit von Fesseln und danke (vierter Schritt)! Wenn du den Mut aufbringst, ganz tief in Deine Gefühle einzutauchen und Gott teilhaben zu lassen, dann wirst Du von Leid geheilt und befreit.

Nisroc und die Freiheit

Gefühle sind dazu da, Dich zu leiten. Wahre Empfindungen sind dem Göttlichen Willen verwandt und dienen dazu, herauszufinden, was Dein Ich ausmacht, was Dir am Herzen liegt und was Dich der Liebe näherbringt. Stelle Dir Gefühle als einen Schrank vor. Wenn Du Dich mit Sachen (oder Gefühlen) umgibst, die nicht zu Dir passen, entledigst Du Dich ihrer. Wenn Du an ihnen festhältst, reicht das Fassungsvermögen Deines Kleiderschrankes nicht mehr aus, und schließlich ist kein Platz mehr für neue Empfindungen. Und mögen sie auch noch so fehl am Platze sein, so beherrschen die alten Gefühle neue Lebenssituationen. Sage Dich von ihnen los, und Du wirst freier sein, um auf neue Lebensumstände spontaner reagieren zu können.

Auch Emotionen verfügen über ein Bewußtsein. Wenn Du Deine ureigensten Gefühle leugnest, indem Du Dich weigerst, ihnen Ausdruck zu verleihen, verschwinden sie nicht einfach. Nein, sie warten vielmehr darauf, daß sich irgendwann etwas Ähnliches ereignet, um Dir dann die Gelegenheit zu geben, Dich entweder nach altbewährtem Muster zu verhalten oder aber die Wahrheit zu leben und Dich selbst zu befreien. Solange Du Dich dem, was Du verleugnest, nicht stellst, wirst Du in einem engmaschigen Gefühlsnetz gefangen sein, in dem die Flamme Deiner Energie, der Leidenschaft und Deines Lebens langsam, aber sicher erstickt wird. Der einzige Ausweg bietet sich in Form durchgreifender Freisetzung der Emotionen. Den Anfang ohne fremden Antrieb zu machen ist nicht immer ganz einfach, aber dennoch der Mühe wert. Daher können Gruppen eine große Hilfe sein, die auf diese Freisetzungsarbeit spezialisiert sind. Gibt es keine in Deiner Nähe, so halte Dich an die folgenen Richtlinien und denke immer daran, daß es ratsam ist, von Zeit zu Zeit einzuhalten und wieder zur Ruhe zu kommen:

1. Du brauchst einen Ort für Dich allein, wo Du ungestört sein kannst. Ein Schlafzimmer eignet sich hervorragend, solange man dort ungestört sein kann, wenn sonst niemand im Haus ist. Dreh die Musik laut auf, um die Lautäußerungen zu übertönen, die Du von Dir gibst. Halte Musik verschiedenster Stilrichtungen bereit, damit Du bei einer geänderten Gefühlslage einen Stimmungswandel vornehmen kannst. Mit Hilfe von Musik ist es leicht möglich, sich in eine bestimmte Gefühlswelt hineinzuversetzen und dort zu verharren. Wenn Dir nach Schreien zumute ist, so schreie ins Kissen hinein. Wenn Du Deine Wut an einer Sache auslassen willst, so schlage mit den Fäusten auf Bett oder Kissen. Lege Taschentücher bereit, damit Du ausgiebig weinen kannst. Lade einen Freund/eine Freundin ein, sich Dir anzuschließen, damit Ihr Euch auch gegenseitig ermuntern und bestärken könnt.

2. Füge weder Dir selbst noch anderen Schaden zu! Hast Du vor einem Gewaltausbruch Angst und fürchtest Dich davor, außer Kontrolle zu geraten, so konzentriere Dich zuallererst darauf, die Angst freizusetzen. Versuche aber nicht, Dich zu beruhigen oder die Wut zu unterdrücken. Sorge dafür, daß die Freisetzung in kontrollierten Bahnen verläuft, damit Du Dich nicht ungewollt verletzt. Hebe Kleidungsstücke oder Gegenstände vom Boden auf, über die Du stolpern könntest, räume scharfe Dinge aus dem Weg und schaffe Dir Platz. Sobald Du diese Gefühle nämlich erst einmal losläßt, willst Du sicher Platz haben, Dich zu bewegen, wie Dein Körper es gebietet.

3. Werde Dir Deiner Verleugnung bewußt. Finde heraus, was Dich beherrscht. Du kannst beginnen, indem Du mit Meditationsmusik und meditativen Übungen in Dich gehst, damit Du Dir Deiner Empfindungen klar wirst – fühlst Du Dich einsam, verlassen, geliebt, sinnlich; bist Du traurig, mit Dir im Frieden oder ärgerlich; spürst Du vielleicht großes *Verlangen.* Egal, was Du gerade empfindest, es ist immer richtig. Dringe tiefer und tiefer in Dich ein. Bitte Gott fortwährend, Dir zur Seite zu stehen und die Wahrheit ans Tageslicht zu bringen. Welche Gefühle sollen nicht zum Vorschein kommen? Warum nicht? Gefühlsleer oder gelangweilt zu sein ist oft ein Zeichen von Angst. Bitte darum, daß Du diese Angst oder das, was Dich so lähmt, zu erkennen lernst.

Wenn Du gerade in einer Krise steckst und Deine ganze Gefühlswelt in Aufruhr ist, dann lasse diesen Gefühlen einfach freien Lauf. Unterziehe Dein Verhalten keiner kritischen Betrachtung. Dies ist ein ernstzunehmender Heilungsprozeß, und es ist am besten, das zu akzeptieren und bekunden, was lange Zeit zurückgehalten wurde. Wenn Du meinst, in ein schwarzes Loch voller Unmut hinabgetaucht zu sein, beweise Mut. Stellst Du Dich, so wird auch dieses Gefühl aufsteigen, und Du wirst zu einem stärkeren Bewußtsein von Befähigung und Liebe finden. Versuche jemanden zu finden, der Dir mit seinen Erfahrungen auf diesem Gebiet zur Seite stehen kann.

4. Verleihe Deinem Gefühl Ausdruck. Verhalte Dich so, wie Dein Körper Dich heißt. Versuche, nicht allzu viel zu denken und Dich nicht ständig selbst zu analysieren. Weine, schrei, sprich im Geist mit dem Menschen, der dies ausgelöst hat, und schrei ihn an; schlage auf Kissen ein, spring auf und nieder, renne durchs Zimmer.

Gott wird eine Transformationsenergie aussenden, die Deinen

Körper ausfüllen wird, wenn Du es zuläßt. Diese positive Energie soll Barrieren niederreißen. Dein Kopf bewegt sich vielleicht heftig von einer Seite zur anderen, Dein Körper zappelt gar wie ein Fisch am Boden; Du zitterst unter Umständen, möchtest Deine Hüften kreisen lassen und fühlst Dich vielleicht, als würde Dich die Energie herumwirbeln und umherwerfen. Wehr Dich nicht dagegen! Wenn Du nur bereit bist, diese Energie zu empfangen, wird die Liebe und Ekstase Gottes sich Deines Körpers in unvorstellbaren Strömen bemächtigen. Gefühlsblockaden verbauen Dein Energiefeld und behindern den Fluß dieser Verzückung. Wenn Du den Mut aufbringst, sie niederzureißen, und Gott bittest, Dich zu durchströmen, erlebst Du vielleicht sogar körperliches Wohlbefinden, Liebe und ein Hochgefühl, wie Du es Dir in Deinen kühnsten Träumen nicht vorgestellt hättest!

5. Reiß die Barrieren nieder. Wenn Dir heiß wird, Du ins Schwitzen kommst, wenn Deine Lungen pumpen wie ein Blasebalg und Du Dich wahrhaftig von Deinen Gefühlen mitreißen läßt, dann kann der Heilungsprozeß am besten einsetzen. Dabei schmilzt buchstäblich eine Leidensschicht nach der anderen weg. Wenn Du erst einmal die Kontrolle verlierst, werden alte Verhaltensmuster aufgebrochen, die bisher stets zur Zurückhaltung gemahnt hatten. Wenn Du Dich in diese Raserei hineinsteigerst, bitte Gott, Dich zu durchströmen und die Leiden von Dir zu nehmen. Den meisten von uns wurde beigebracht, daß Ärger und starke Gefühle keine Kräfte des Geistes sind. Aber die Vorstellung, diese Gefühle seien deswegen unerwünscht, führt dazu, daß Gott ausgesperrt ist und das Leid irgendwo in Deinem Körper festsitzt. Wir sind die Weggefährten Gottes, und in all unseren Empfindungen ist das Göttliche mit uns. Wenn Du in der Lage bist, Dich zu öffnen, leidvolle Erinnerungen zutage zu fördern und die Kraft der Liebe, der Vergebung und der Heilung einzuladen, dann kann sich die Wandlung vollziehen. Auf ganz natürliche Art wird sich dann ein Gefühl der Ruhe und des Friedens einstellen. *Bitte darum, daß Liebe an die Stelle treten möge, an der vorher das Leid herrschte.* Wenn Du den Wunsch danach verspürst, so lasse die Bewegungen Deines Körpers zu, der sich dem Tanz der Verzückung, Freude und Sinnenfreude hingibt.

6. Öffne Dich und akzeptiere Deine Gefühle. Achte auf alles, was Du denkst und empfindest. Gestatte Dir selbst, die Gefühle zu akzeptieren, die Du Dir bisher nicht eingestanden hast, und versage Dir nicht, ihnen Ausdruck zu verleihen. Halte nicht länger an Urteilen fest und vergib Dir selbst, wenn etwas in Dir danach verlangt. Wenn Dir etwas am Zeremoniell liegt, gönne Dir anläßlich dieses neugewonnenen Gefühls eine kleine Feier. Lasse auch nach Deiner Befreiung nicht nach in Deiner Aufmerksamkeit und halte nach Veränderungen in Dir selbst und Deiner Umgebung Ausschau.

7. Lasse Taten folgen. Ergreife jede sich bietende Gelegenheit, um zu reagieren, wie es die Wahrheit gebietet, anstatt gefallen zu wollen oder Deine Gefühle zu verleugnen. Die Entscheidung, ja oder nein zu sagen, solltest Du auf Grund Deiner wahren Gefühle treffen und nicht, um den Erwartungen anderer gerecht zu werden. Alte Gewohnheiten treten schnell auf den Plan, und es mag Dir nicht einmal bewußt sein, daß sie am Werk sind. Bist Du erst einmal in der Lage, automatisch ablaufende Prozesse zu unterbrechen, eröffnest Du Dir selbst eine ungeahnte Vielfalt an alternativen Handlungsweisen, potenzierst Deine Freude und bekommst einen größeren Energieschub, als Du jemals für möglich gehalten hättest. Nutze Gelegenheiten, die sich bieten, um diese neuen Gefühle in allen Bereichen Deines Lebens auszukosten.

8. Höre auf Deinen Körper. Ruhe Dich aus. Freisetzungsarbeit kann anstrengend sein. Während des Heilungsprozesses kann es durchaus sein, daß Du mehr Schlaf brauchst als gewöhnlich, damit die Veränderungen auch auf Zellebene und im Bereich des Unterbewußten vor sich gehen können. Iß, wann immer und was immer Dein Körper befiehlt; wenn du ihn fragst, wird er Dir mitteilen, worauf er Hunger hat. Dabei wird es so sein, daß Du bisweilen schwere Kost wie etwa Fleisch zu Dir nehmen mußt, manchmal dagegen nur Salate, Obst, Säfte oder kleine Leckereien. Durch die Freisetzung von Emotionen können auch leicht Krankheiten wie

Erkältung oder Grippe ausgelöst werden. Stelle fest, ob Du Schuldgefühle entwickelst, weil Du Dir die Zeit nimmst, ausschließlich Deine eigenen Bedürfnisse zu befriedigen. Jetzt bietet sich Dir die Chance, Dich in Eigenliebe zu üben, die Dich aufbaut.

Mit zunehmender Freisetzung wirst Du Dich in Deiner Haut wohler fühlen. Dein Seh- und Gehörsinn wird geschärft, wenn Du mit Deiner wahren Vision und Deinem Inneren Ohr Verbindung aufnimmst. Öffne Dich, damit Dein Ewiges Ich Dir Botschaften übermitteln kann und Dich Schritt für Schritt geleitet. Dein Körper wird sich anschließend wenn nicht gar in einem besseren, so doch zumindest nicht länger in einem schlechten Zustand befinden. Du wirst mehr Energie haben und das Leben pulsieren fühlen, so daß Du größerer Liebe fähig bist.

Musik: Trevor Jones und Randy Edelman: das Album *The Last of the Mohicans*
Peter Gabriel: das Album *Passion*

Partnerschaft

Das Ziel einer jeden Partnerschaft besteht darin, zu einer Einheit zusammenzuwachsen – sei es durch Liebe, geschäftliche Zusammenarbeit oder ein gemeinsames Ziel. Damit eine Partnerschaft reibungslos funktioniert, bedarf es einiger grundlegender Fähigkeiten. Unterziehe die folgenden Bestandteile im Hinblick auf die Beziehungen, die Du unterhältst, einer kritischen Betrachtung. Worin zeichnest Du Dich aus? Welche bedarf der Verbeserung? Was fehlt Dir völlig?

1. **Engagement** ist der Grundstein einer guten Partnerschaft. Du verpflichtest Dich, für den anderen da zu sein und die Wahrheit zu sagen, komme, was wolle. Ihr seid Euch beide einig, daß die Bande zwischen Euch stark genug sind, um Herausforderungen zu trotzen. Dein Ziel zu erreichen liegt Dir so am Herzen, daß Du Deine ganze Energie und Aufmerksamkeit in die Manifestation Deines Wunsches legst. Selbst in widrigen Zeiten suchst Du Verständi-

gung und Harmonie in der Einheit, anstatt den Kopf in den Sand zu stecken. Dazu bedarf es neben der Bereitschaft, sich geänderten Bedingungen anzupassen, eines offenen Herzens und eines ebensolchen Geistes. Ohne Engagement besteht die Gefahr, daß der andere aufgibt, sobald sich die ersten Schwierigkeiten abzeichnen, oder daß es durchaus als akzeptables Handeln gilt, einfach allem den Rücken zu kehren.

2. **Vertrauen** muß man im Laufe der Zeit erst gewinnen. Schließlich haben wir alle so viele schlechte Erfahrungen machen müssen, daß wir es einfach nicht schaffen, jemandem sofort unser Vertrauen zu schenken. Oberflächlich gesehen hilft Vertrauen, die Banalitäten des Alltags hinter sich zu lassen. Stärkeres und grundlegenderes Vertrauen ebnet den Weg zu gefahrloser Offenbarung verborgener Welten Deines Ichs.

3. **Kommunikation** ist keine Einbahnstraße. Beide müssen sich mitteilen und einander zuhören können. Lasse keine Zweifel an Deiner Absicht aufkommen – geht es Dir um eine bejahende Liebesbeziehung, um eine gewinnbringende geschäftliche Zusammenarbeit oder um die Verwirklichung eines gemeinsamen Zieles? Alles sollte zusammen geplant werden, Ergebnisse sollten kritisch überprüft und die Vorgehensweise entsprechend geändert werden. Bei Unstimmigkeiten mußt Du sagen, was Du empfindest *und* Dir anhören, welche Gefühle Dein Partner hegt, ohne Deine Position zu rechtfertigen. Mache Dir Gedanken über die Konsequenzen des Gesagten, filtere die Wahrheit heraus und nimm dann Änderungen vor, die ihr beide vertreten könnt.

4. **Teilen** ist für eine gute Partnerschaft unerläßlich. Du mußt in Deinem ganzen Handeln, in all Deinen Entscheidungen über den eigenen Tellerrand sehen, um das Wohlergehen des anderen und den Zweck der Partnerschaft in Deine Überlegungen miteinzubeziehen. Die Beziehung kann nur dann wirklich ausgewogen sein, wenn Sehnsüchte, Wissen und alles Materielle gleichermaßen geteilt werden, wie es angezeigt scheint. Ist ein Partner nicht bereit, in angemessener Weise zu teilen, können sich weder Zufriedenheit

noch Vertrauen einstellen. Fehlt es an einem klar umrissenen Ziel oder einer gemeinsam abgestimmten Vorgehensweise, so wird die Partnerschaft schließlich in einem Strudel der Verwirrung untergehen. Ein verantwortungsvoller Partner ist also ein Partner, der zu geben imstande ist.

5. **Vegebung.** Niemand von uns ist ohne Fehl und Tadel; nutzt die Fehler des anderen, um daran zu wachsen und enger zusammenzuwachsen. Vergib Dir selbst wie auch Deinem Partner und tritt nicht auf der Stelle.

6. **Handle** immer dann, wenn es die Situation erfordert. Die Partnerschaft muß flexibel sein und den geänderten Wünschen und Lebensumständen der Partner Rechnung tragen. Formuliert die Ziele präzise und teilt genau umrissene Aufgaben gerecht untereinander auf. Laßt Worten Taten folgen. Schafft die Bedingungen für eine freie Entfaltung.

Die Hierarchie der Engel

Jeder Engel kann uns eine Gabe oder Eigenschaft zuteil werden lassen. So wie wir mit anderen Menschen zusammenarbeiten, arbeiten auch die Engel zusammen. Während des Schöpfungs- und Entwicklungsprozesses gehen ihre unterschiedlichen, einzigartigen Fähigkeiten miteinander und mit uns eine Symbiose ein. Ein gutes Beispiel stellt der Erzengel Raphael, der Engel der Heilung, dar. Es ist sein göttlicher Auftrag, den er zusammen mit Deinem Schutzengel ausführt, Dein Denken in andere geistige Dimensionen zu erheben, damit Du die Ursachen Deiner Krankheit verstehst. Nisroc, der Engel der Freiheit, kann blockierte Gefühlsenergie wieder fließen lassen; Israfel, der Engel der Musik, soll das Schwingungsverhalten Deines Körpers umpolen; Jophiel, der Engel der Schönheit, will Dir über die Freude einen positiven Stimmungswandel ermöglichen; Shushienae, der Engel der Reinheit, soll Deinen Körper und die Dich umgebende Atmosphäre reinigen und läutern; Kaeylarae will Deiner geplagten Seele Frieden bringen; Charmiene möchte dort die Harmonie wiederherstellen, wo Ausgewogenheit fehlt; und Uzziel schließlich ist dazu da, Deinen Glauben zu stärken.

Diese Hierarchie der Engel bildete sich durch den ganz natürlichen Prozeß der Liebe heraus. Die einzelnen Ordnungen entstanden, als sich jene Eigenschaften in Gott manifestierten, und er ihnen Leben einhauchte. Wenn Du die Hierarchie mit einer Familie vergleichst, wirst Du das Beziehungsgeflecht eher verstehen. So stehen die einzelnen Ordnungen zum Beispiel in einem Verhältnis zueinander wie Stiefkinder mit einem gemeinsamen Elternteil und verschiedenen Stiefeltern. Es verhält sich damit also ähnlich wie bei vielen erweiterten Familien heutzutage, die zustande kommen, indem die Eltern neue Ehen eingehen und mit ihren Kindern aus früheren Beziehungen sowie den gemeinsamen eine Einheit bilden. Das Bindeglied ist die Liebe, und jede Ordnung verfügt über eine ganz eigene Art, diese zu zeigen. Erzengel Chamuel lehrt hingebungsvolle Anbetung; die Liebe, mit der Cerviel uns beglückt, offenbart sich in Form von Mut; Remliels innige Liebe trägt zu Deinem Erwachen bei; und Hadraniel schließlich verkörpert die Liebe in ihrer reinsten Form.

Innerhalb der einzelnen Ordnungen sind die Engel eher wie Zwillinge – einander zwar ähnlich, aber dennoch mit unterschiedlichen Neigungen auf demselben Gebiet. Während die Obersten Erzengel Träger der grundlegenden Eigenschaften der Energie sind, die unsere Erde am Leben erhalten und sie in die richtigen Bahnen lenken, stattet jede der nachfolgenden Ordnungen sie noch mit tieferen Bedeutungsgehalten aus. Die Engel der Ersten Ordnung stellen all ihre Energie in den Dienst des Herzens. Der Zweiten Ordnung liegt daran, inneren Vorzügen offen Ausdruck zu verleihen. Gefühlstiefe und Kraft werden von der Dritten Ordnung beigesteuert. Die Sonnenengel schließlich sind für das ausgewogene Zusammenspiel aller Kräfte verantwortlich; sie erreichen ihr Ziel mit Hilfe innigster Empfindungen und Empfindsamkeit, indem sie auch das hell erleuchten, dessen Anblick wir eigentlich scheuen. Dabei ist ihre Gefühlstiefe gleichzeitig unterlegt mit hingebungsvollem Mitgefühl. Ein jeder Engel ist ausschließlich von dem Wunsch beseelt, Du mögest den Schleier der Dunkelheit, die Dich umgibt, erkennen und ihn hinwegziehen, und daher durchstömen sie Dich mit Licht.

Die Mission der Engel besteht darin, Dir Deine göttliche Identität zu vergegenwärtigen, die Erinnerung daran wachzurufen, wer Du wirklich bist und warum Du überhaupt unter uns weilst. Die Engel, die in diesem Orakel in Erscheinung treten, sind mächtige Lichtwesen, und sie helfen Dir, Gewohnheiten und Überzeugungen auszumachen, die verhindern, daß Du Liebe empfangen kannst. Diese Barrieren niederzureißen macht den Weg frei für die Gaben der Engel. Sei Dir stets Deiner Gefühle bewußt, wenn Du Dich nun in die Ordnungen der Engel vertiefst. Findest du Dich in den Beschreibungen irgendwo wieder?

Die Obersten Erzengel

Die Obersten Erzengel wurden mit einem gewaltigen Energieschub bedacht, den die spannungsgeladene Freude angesichts der Schöpfungsgewalt hervorrief. Jeder hat eine Mission zu erfüllen und widmet sich diesem Ziel auch unbeirrbar voller Leidenschaft und hingebungsvoller Anbetung. Ihr ganzes Sehnen und Trachten gilt dem Schutz und der Wiederauferstehung unserer spirituellen Bestimmung. Im Rahmen seiner ureigenen Mission lädt jeder Erzengel Energie (oder eine Flamme) mit einer ganz speziellen Eigenschaft auf und leitet diese dann den Ordnungen der Engel zu. Diese wiederum helfen den Erzengeln, uns Menschen diese Energie mit Hilfe von Seelenpflege und Heilung zuteil werden zu lassen.

Die Obersten Erzengel haben den einen oder anderen Teil ihrer selbst gesandt, der nun in einigen von uns schlummert. Bist Du der festen Überzeugung, Du hättest in diesem Leben eine Mission zu erfüllen, die eindeutig zu einer oder mehreren Eigenschaften eines Erzengels paßt, so bist Du tatsächlich ein Werkzeug ihrer Energie. Nur mit Hilfe innigster Gebete, die der Wahrheitsfindung dienen sollen, kannst Du sicher erfahren, daß Du diese Teile in Dir vereinst.

Nachgeordnete Erzengel

Die nachgeordneten Erzengel sind spielerische, von Freude durchflutete Wesen; schmächtiger, dafür aber mehr an der Zahl. Ihre freudig strahlenden Gesichter sind von langen goldenen Locken umrahmt, die sich genauso spielerisch in den Himmelssphären bewegen wie sie selbst, wenn sie ihre Gabe der Reinheit und Läuterung bescheren. Sie haben dunkle Augen, mit denen sie tief ins Innere blicken können, sobald sie die Gedankenströme des Ewigen übermitteln. Die starken Bande, die zwischen ihnen bestehen, bildeten den Grundstein für so manches Beziehungsgeflecht innerhalb einer Gruppe. Wenn sie zu neuen Klangbildern umherschweben, so strahlt ihr Licht noch heller, tanzen sie doch im Kreis.

Die nachgeordneten Engel verlangt es nun nach dem Teil ihrer selbst, den ein Mensch in sich birgt. Bist Du von Natur aus froh und glücklich? Wirst du von Musik beseelt? Ist ein Freundeskreis wichtig für Dein inneres Gleichgewicht, und tanzt und feierst Du gerne ausgelassen? Wenn ja, dann kann es durchaus sein, daß Du einer der ihren bist.

Erste Ordnung - Herzengel

Die Herzengel haben ihren Ursprung in einem Strahlenkranz warmen und weichen Lichts; ihr Merkmal sind die ausgestreckten Arme, die Dich in Liebe zu umfangen suchen. Du wirst ihre Liebe unwillkürlich erwidern. Sie sind ein wenig schmächtiger als die Erzengel und von einem breit streuenden, hell funkelnden Licht umgeben, das rosa und grün leuchtet. Das warme Glühen ihres Herzens spiegelt sich in ihrem Gesicht wider. Die Herzengel wurden aus Partnerschaften hervorgebracht; daher können sie zwar ihre Individualität entfalten, fühlen sich aber dennoch nicht beziehungslos. Sie empfangen die Visionen des Ewigen und leiten sie an andere weiter. So ward der Schutzengel – mit seinem starken Bedürfnis, die anderen nicht aus seiner Obhut zu entlassen und seiner tiefen Dankbarkeit Ausdruck zu verleihen.

Hast Du Visionen? Ist es Dir wichtig, Dich um andere zu kümmern, für sie zu sorgen? Hast Du eine Sanftmut, die Dich unwiderstehlich macht? Folge dem Ruf Deines Herzens.

Die Zweite Ordnung - Die Manifestationsengel

Die Manifestationsengel versehen die von den Herzengeln auserkorenen und ausgesandten Visionen noch mit einem zusätzlichen Schliff. Sie konzentrieren sich auf Einzelheiten, die die Vision so leibhaftig erscheinen lassen, daß sie Gestalt annimmt. Wie die anderen, so haben auch sie ein Gesicht und Flügel und senden Botschaften des Herzens aus, aber die eindeutige Gestalt ihrer Hände und ihre goldenen Körper sind verdichteter, nicht so schmächtig.

Von Anbeginn schon sind Schönheit und Wohlgeruch ihre Wegbegleiter; und alles, was sie berühren, ist fortan mit einem Hauch von Lieblichkeit überzogen. Der Begriff Wahrheit wird nun konkretisiert als Wissen und die Fähigkeit zu kommunizieren.

Jemand, der attraktiv ist und sich gerne eine schöne Umgebung schafft, arbeitet vielleicht mit Jophiel und den Engeln der Schönheit zusammen; dies kann aber ebenso gut auf jemanden zutreffen, der unattraktiv und von einem wilden Durcheinander umgeben ist. Der Unterschied besteht darin, daß der eine diese Eigenschaft akzeptiert hat, während der andere sie unter einer Schicht aus Angst und Vorurteilen vergraben hat. Beide müssen jedoch diese Schönheit von der Oberfläche in tiefere Regionen dringen lassen, damit sie dort zu einem Spiegelbild des Ewigen werden kann. Ein Besserwisser ist vielleicht jemand, der sich zwar durch ein reiches Wissen auszeichnet, genauso aber von Vorurteilen und Selbstherrlichkeit gekennzeichnet ist. Jemand mit unerschütterlicher Sonntagsmiene kann seine wahren Gefühle vielleicht längst schon nicht mehr leben. Die manifestierenden Engel helfen uns, unsere Fähigkeiten so einzusetzen, daß wir unsere Schwächen erkennen und ausmerzen können.

Die Dritte Ordnung - Die Inneren Engel

Die inneren Engel sind ruhende, in sich gekehrte Wesen. Sie sind dazu auserkoren, von unserem Schöpfer die Stimme der Weisheit zu vernehmen und mit innerer Vision zu sehen. Die Kräfte magnetischer Energie und Schwingungsfelder ziehen das an, was sie mittels ihrer klar umrissenen Empfindungen ausstrahlen. Ihre Fackel der Transformation brennt alles nieder, was uns im Wege steht, wenn wir die Einheit mit unserem Schöpfer anstreben.

Vielen von uns wurde beigebracht, unser inneres Sehen gen Himmel zu richten und das Licht der Wahrheit, wie sie uns von unseren Gefühlen vermittelt wird, zu scheuen, uns also das Tor zur Heimat zu versperren. Öffne Dein Herz, um die Fackel der Transformation entgegenzunehmen und folge dem Ruf nach innen.

Die vierte Ordnung - Die Mutter-Engel

Die Mutter-Engel entstanden aus dem harmonischen Gleichgewicht zwischen Selbstwertgefühl und Aufnahme in den mütterlichen Schoß, also aus der Manifestation der Liebe einer Mutter. Unserem Handeln erschließen sich durch die Fähigkeit zu größerer Leidenschaft und stärkerem Mitgefühl ganz neue Tiefendimensionen. Emotionen sind ein mächtiges Instrument, mit dem unsere Schöpfungen auf Daseinsebene erhoben werden. So bedient sich zum Beispiel Micah Gefühlsströmungen, um uns den Weg zum rechten Ort – dem Göttlichen Plan – zu weisen. Zusammen mit Remliel unsere inneren Tiefen zu erforschen, treibt uns dem Erwachen in die Arme, während der Glaube Trost und Ermutigung spendet.

Laß Dir von der Mutter der Schöpfung Deine Tränen wegküssen und Dich Deiner verletzten Gefühle wegen hegen und pflegen, wenn Du Dein Herz öffnest, um Liebe und Leben einströmen zu lassen. Lade sie ein, Dich bei Deiner Suche nach dem rechten Ort durch ihre hingebungsvolle Leidenschaft engumschlungen zu begleiten und inspirieren.

Die Seraphim und Cherubim

Die Seraphim und Cherubim entdeckten gleichzeitig das Licht der Schöpfung, und sie waren die ersten Engel mit geschlechtsspezifischen Merkmalen. Während die oben genannten Ordnungen alle von weichen, weißen Pastelltönen umgeben sind, erstrahlen die Seraphim und Cherubim in klarem, hellem Licht. Sie haben die Fähigkeit, bei allem, was sie tun, auf das kleinste Detail zu achten, und sie betrachten das Leben als ein künstlerisch zu gestaltendes und unterhaltsames Ereignis, das oft mit Zeremonien oder Segnungen einhergeht. Das Schicksal meint es stets gut mit ihnen und läßt sie wahrlich nicht darben, so daß einige von ihnen sogar Schuldgefühle plagen, weil es ihnen so viel besser geht als anderen. Viele stehen in enger Beziehung zur Natur und können Wunder vollbringen, da sie die Macht besitzen, sich deren Kräfte zunutze zu machen. Als ewige Sieger strahlen sie normalerweise Lebenslust und Lebensfreude aus, was jedoch von ihrer Leidens- und Opferbereitschaft überlagert sein kann.

Die Seraphim und Cherubim sind sehr mächtig, viele jedoch standen dieser Macht mißtrauisch gegenüber und büßten sie folglich ein. Ihr innigster Wunsch besteht darin, wieder eins zu werden mit ihrer Geschwisterseele hier auf Erden. Entdeckst Du einige ihrer Eigenschaften in Dir, so gehörst Du vielleicht zu ihnen. Öffne Dein Herz und laß Dich von Ihnen geleiten, wenn Du Deine Schuldgefühle überwindest und Deine verlorene Kraft zurückforderst.

Die Engel des goldenen Lichts

Die Engel des goldenen Lichts stellen für die anderen Ordnungen, die Engel des weißen Lichts sind, das magnetische Gleichgewicht her. Die Essenz des goldenen Lichts ist das Empfinden, und diesen Engeln ist eine starke Sexualität zueigen, die ihre Körper im Rhythmus des Lebens mitschwingen läßt. Bisweilen ist ihre ungeheuere emotionale Energie sehr dominant. Die Engel des weißen Lichts dagegen folgen dem Ruf der Ratio und leugnen daher gern Bedeutung und Macht der Gefühle.

Den Zustand der Ausgewogenheit zu erreichen, ist für uns alle unerläßlich – wir dürfen also weder reine Verstandes- noch reine Gefühlsmenschen sein, die Sexualität weder verkümmern noch unser Leben bestimmen lassen. In Krisenzeiten lasen wir uns oft von Wut und Furcht beherrschen, anstatt zu erkennen, daß etwas im argen liegt, und diese Chance zu wahrem Wachstum auch zu ergreifen. Heiße die Engel des goldenen Lichts mit offenen Armen willkommen, damit Dir für Deine unerwünschten und beklagenswerten Gefühle vergeben wird. Ihre unvorstellbare Gabe tiefer Heilung kann sich dann entfalten, wenn Du mit der Selbstverleugnung brichst, so daß sich ein wahres Füllhorn berauschender Gefühle ergießen kann und Orgasmen nicht selten sind, die Dich auf

Grund ihrer Intensität noch Stunden danach mit Ekstase erfüllen. Gib Dich ganz dem beseelenden Gefühl eines Friedens hin, der so unvorstellbar ist, daß Du keiner Bewegung fähig sein wirst. Tauche ein in diese Beziehung zu Gott, die so tief wie das Gefühl der Dankbarkeit überwältigend ist, und lasse Dich forttragen auf der Woge der Anerkenntnis dieses Deines Daseins.

Wenn man die Auseinandersetzung mit seinen Dämonen nicht scheut, so wird die Belohnung unermeßlich sein. Wage ganz einfach den ersten Schritt und sei bereit. Halte nach Chancen Ausschau, Deine wahren Gefühle willkommen zu heißen. Bitte um Mut für die Öffnung Deines Herzens.

Die Engel

Die Obersten Erzengel

1

Michael

SCHUTZ

Denn er hat seinen Engeln befohlen über dir,
daß sie dich behüten auf all deinen Wegen.
Psalm 91:11

Erzengel Michael geht völlig in der Aufgabe auf, die spirituelle Bestimmung einer jeden Seele zu bewahren. Er liebt Dich inniger als Du Dir jetzt vorstellen kannst, und im Laufe vieler Lebenszyklen ist er Dir ein geduldiger Wegbegleiter, der die flackernde Glut Deines Seelenfeuers auf dem Altar des Herzens anfacht, bis die Flamme der Begeisterung und Liebe Gottes endlich auch in Dir lodert, so daß alle Zwänge, die Dich einengen, dem reinigenden Feuer überantwortet werden können!

Das Reich des Vizekönigs Michael nimmt all jene auf, die wissen, daß unser Königreich nicht von dieser Erde ist. Um uns den Weg in die Heimat zu weisen, ist sein Leben dem Kampf gegen das Übel in uns allen geweiht, während er gleichzeitig uns mit der Aufgabe betraut, negative Energien in positive Strömungen des Friedens, der Liebe und Schönheit umzuwandeln. *Erfährt die Bedeutung Deines spirituellen Pfades stetige Erweiterung, so bist Du ein Instrument der Energie Michaels.*

Dabei ist Michaels Feuer nicht nur im übertragenen Sinn zu verstehen; vielmehr brennt der spirituelle Hoffnungsträger taächlich selbst auferlegte Beschränkungen nieder, die wie winzige Gefühlsperlen an der Oberfläche glitzern, so wie sie die Ereignisse des Lebens eingeschlossen haben. Wenn Du Dich der Wahrheit stellst, wirst Du die heißen Flammen dieses Feuers oft spüren. So kann zum Beispiel leidenschaftliche Wut in wirksame Antriebsenergie zur Herbeiführung einer Veränderung umgewandelt werden. Wehre Dich nicht dagegen; spüre die Hitze, den Zorn und die Macht. Wenn Du Dein Herz öffnest, erfährt dieser Zorn eine Wandlung, und Du kannst Lösungen anstreben, die sich durch Liebe auszeichnen.

Michael wacht über die Entfaltung der Leuchtkraft Deines Seelenlichts, bis Du von Karma und einengenden Zwängen gereinigt und geläutert bist. Jedesmal, wenn Du eine Chance nutzt, ungewollte Ereignisse umzuwandeln, zerstörst Du wieder einen Teil Deines falschen oder niederen Ichs. Michael lebt ausschließlich für den Tag, an dem Du als Dein Ewiges Ich erstehst. Sein Ziel besteht in unser aller Erlösung, damit wir erneut zu einer liebenden Gemeinschaft zusammenwachsen.

Michael bewahrt nicht nur unsere spirituelle Bestimmung, sondern er erhält auch unseren Körper. Rufe Michael an, Dir in widrigen Lebensumständen zur Seite zu stehen, Dir Mut zu machen und Schutz zu gewähren. Passierst Du ihn zum letztenmal, so wird er Deine Seele in die Waagschale werfen. Einer Feder gleich steigt die Liebesessenz, die Du inzwischen in Dir birgst, beflügelt in den Himmel auf, während das schwer beladene Ego in die Tiefe sinkt. Dieses Ego ist es auch, was Dich beschwert und den Aus- und Aufstieg aus den Lebenszyklen solange verhindert, bis Du bereit bist, durch Michaels Transformationsfeuer zu gehen. Suchst Du Erlösung von der Wiedergeburt, so warte nicht bis zu Deinem Tod. Rufe Michael jetzt an, damit er Dich zu dem Bewußtsein Deines Ewigen Ich führt.

Musik: Palestrina: das Album *Missa Papae Marcelli*
Michael Bolton: „Steel Bars“ aus dem Album *Time, Love & Tenderness*
Merlin's Magic: das Album *The Spirit of Leo*

2

Jophiel

SCHÖPFERISCHE KRAFT

Und die Welt ist bloß die Leinwand, auf der wir unsere Wünsche entfalten können. Enthüllt sich der wahre Charakter doch nur im Traum.
Henry David Thoreau

Jophiel ermöglicht unserem Bewußtsein, das innere Licht zu erblicken. Göttliche Ideen nehmen ihren Ausgang im Herzen des Ewigen, wo ein Elektronenstrahl, der „alles“ in sich birgt, in großen Wellen ausgesandt wird. Jophiel überwacht die Zusammenarbeit einer ganzen Schar von Engeln, die jede Vision von ihrem Ursprung bis hin zur physischen Manifestation geleiten. Im Verlaufe dieses Prozesses wird Paschar die Vision übermittelt, und er leitet sie an Jamaerah weiter, der sie mit weiteren Einzelheiten ausschmückt und sie Gestalt annehmen läßt, indem sich die Essenz zu verdichten beginnt. Schließlich wird sie von der Schönheit Jophiels geküßt. Galgaliel lädt sie dann magnetisch und mit Schwingungsenergie auf, was die Idee nun in einen Strudel von Liebe hineinzieht und das Netz der Materie spinnt, das letztendlich zur physischen Manifestation werden wird. Als nächster verleiht Michael dem ganzen dann die wahre Gefühlstiefe, wodurch der Plan die Kraft erlangt, am rechten Ort zu erscheinen. Von uns aus gesehen ist es Shekinah, der uns die Gegenwart des Ewigen spüren läßt. Jophiel schließlich hilft uns, die Vision zu empfangen, und Ongkanon trägt zur klaren Verständigung bei.

Angesichts einer solchen Fülle kreativer Energie, die jeder, der nur darum bittet, für sich in Anspruch nehmen kann, wird kaum Mangel herrschen. Es ist Gottes Wille, daß wir an der Schöpfung mitwirken und seine Freude teilen, wenn Energieströme so geleitet werden, daß sie schließlich Gestalt annehmen. Saatkörnern gleich trägt der Wind die Ideen des Göttlichen heran; wir müssen sie lediglich ergreifen und ihnen Leben einhauchen, sie mit Energie anreichern und nach außen projizieren.

Der Begriff „De sire" – also unser deutsches Wort „Verlangen" – heißt eigentlich „vom Herrn kommend" und verleiht der Bedeutung des Ereignisses der Manifestation angemessen Ausdruck. Deine *Empfindungen* stellen die Verbindung zum Ewigen her, um die Denkgestalt mit Energie anzureichern und sie in den Bereich der physikalischen Substanz zu erheben. Das Verlangen nach allem, was zu Deinem Erwachen beiträgt, ist begrüßenswert – der starke Wunsch danach, frei zu sein, Liebe zu geben und zu empfangen, das richtige Betätigungsfeld zu finden, voller Leben zu stecken, von Schönheit umgeben, gesund und sexuellen Verlangens mächtig zu sein; all dies ist positives Verlangen. Die damit verfolgte Absicht und das damit verbundene Empfinden sind der Schlüssel. Sollten materielle Wünsche dominieren, so schreite ein, um der Ursache dieser Neigung nachzugehen und Dich davon zu befreien. Verschwende keine Zeit damit, sinnentleerten trivialen Beschäftigungen nachzugehen, sondern konzentriere Dich statt dessen auf die nutzbringenden Unterfangen, die Deines Engagements wert sind.

Du solltest wie ein Kelch sein, offen und als solcher zu erkennen; rufe dann den Erzengel Jophiel an, damit er Dich mit der vollkommenen Vision erfüllt, die Du herbeisehnst. Setze die ganze Leidenschaft ein, derer Du fähig bist, um die Vision Gestalt annehmen zu lassen. Wenn Gott sie gesandt hat, wird sie vollkommen erscheinen. Sie wird Dich freudig erregen und weder Fragen noch Zweifel offenlassen. Heiße diese Vision dankbar willkommen und handle. Die Engel werden Dir zur Seite stehen!

Musik: Jimmy Cliff: „You Can Get It if You Really Want It"
Mariah Carey: „Make It Happen" aus dem Album *Emotion*
James Taylor: „Like Everyone She Knows" aus dem Album *New Moon Shine*
Tänzer's Traum: „Isis" aus dem Album *Traumtanz*
Merlin's Magic: das Album *Chakra Meditation*

3

Chamuel

ANBETUNG

Gott allein ist mehr als genug.
Theresia von Ávila

Chamuel, „Der-nach-Gott-Suchende“, beherbergt die Macht der Anbetung, wie der Himmel sie verleiht, der stets erfüllt ist von den gleichbleibenden Rhythmen der Lobpreisung. Diese ist den lebensspendenden Gaben und dem liebevollen Miteinander zugedacht, in deren beider Genuß man allzeit kommen kann. Du kannst den Himmel auf diese Erde holen, indem Du Dich unablässig der Anbetung hingibst – Tag und Nacht, im Wachen wie im Schlafen, bei der Arbeit und im Gebet. Laß die Melodien jeder einzelnen Deiner Zellen widerhallen. Mit Worten allein ist diese Fähigkeit nicht zu erlangen, sie muß vielmehr aus den Tiefen der Seele aufsteigen. Zu Beginn wird sich die vollkommene Anbetung nur einstellen, wenn Du eine intensive Erfahrung gemacht hast. Sobald es Dir aber gelingt, Deine wahren Gefühle an die Oberfläche zu locken, dann kannst Du diesen natürlichen Zustand in einen dauerhaften umwandeln. Unterdrückst Du starke, ungute Gefühle, weil Du der Meinung bist, ihnen hafte nichts Spirituelles an? Wenn Du ihre Existenz leugnest, stirbt ein Teil Deiner selbst, und in Deinem Inneren verhärtet sich etwas und stirbt ab. Die Zellen der Umgebung sind fortan nicht mehr in der Lage, zu schwingen und ihre Lobpreisungen zu singen.

Versuche, Chancen zu nutzen, bei denen Du all Deine Gefühle willkommen heißen kannst – ohne jede Gefahr, auf Deine ganz persönliche Art und so, wie es Dir angezeigt scheint. Danke dafür, daß Du in der Lage bist, zu fühlen und zu heilen. Bitte darum, auf der Woge der Verzückung mit Namen Anbetung fortgetragen zu werden; Chamuel wird diese Bitte nicht unerhört lassen! Geh in dieser Freiheit voller Liebe auf, als wäre sie der Sonnenschein eines wundervollen Frühlingstages, und sauge sie mit jeder Zelle Deines Seins auf. Laß andere an diesem Genuß teilhaben.

Dieses spirituelle Gesetz der Anbetung machte sich Jesus zunutze, als er das Brot und die Fische teilte. Mögen die Fische in Deinem Fall auch ein wenig weit hergeholt sein, so kannst Du dank Deiner Gefühle dennoch Wunder erleben. Wenn Du von der Liebe zu Dir selbst erfüllt bist und voller Ehrerbietung Dank sagst, wird diese Liebe stärker werden. Beobachte nur einmal, wie sich die Mienen derer, die Du liebst, erhellen, wenn Du sie anbetest. Und genauso wird auch Dein Körper reagieren, sobald Du lernst, in der Umarmung liebender Anbetung aufzugehen. Beobachte nur einmal, wie Deine eigenen Gesichtszüge weicher werden.

Um unmittelbar Zugang zu Chamuel zu erhalten und die Anbetung noch zu steigern, mußt Du einen dem Gottesdienst geweihten Ort aufsuchen, den seine Engel stets mit ihrer Gegenwart beglükken. Selbst wenn sie leer sind, vermitteln viele Kirchen ein Gefühl der Heiligkeit. Jene Lichtwesen sorgen dafür, daß das Ewige Deine Gebete erhört, und Dir eine Antwort zuteil wird, die Deiner Befreiung dient. Die Engel bestärken Dich auch, Dir Gedanken voller Ehrfurcht zueigen zu machen, damit Du eine höhere Stufe der Bewußtheit und Inspiration erreichst. Sie sind ganz von dem Wunsch beseelt, den Keim einer Vision in das Saatbeet Deines Herzens zu legen, die Dir schließlich den Weg in die Heimat weisen wird.

Versäume auch tagsüber nicht, einen Zustand der Anbetung zu erreichen. Oft vergessen wir einfach, unserer Dankbarkeit und Liebe Ausdruck zu verleihen, weil wir zu beschäftigt sind! Widme eine Minute jeder Stunde, einen Tag oder Dein Leben der Anbetung Gottes, und Du wirst sehen, welche Veränderungen in Dir vorgehen.

Musik: Richard Shulman: das Album *Light from Assisi*
Ennio Morricone: das Album *The Mission*
Franz Schubert: „Ave Maria“
Merlin's Magic: das Album *The Spirit of Cancer*
Merlin's Magic: „Herz-Chakra“ aus *Chakra Meditation*
Anton Bruckner: Bruckner, Motetten von den *Corydon Singers*

4

Gabriel

WIEDERAUFERSTEHUNG

Ich weiß, daß ihr Jesum, den Gekreuzigten, suchet.
Er ist nicht hier; er ist auferstanden.
Matthäus 28:5-6

Gabriel ist der Erzengel der Wiederauferstehung, die Stimme Gottes und der Bote guter Nachrichten. Er war es, der der Heiligen Maria erschien, um ihr ihre Mission noch einmal zu vergegenwärtigen. Er wachte über den Propheten Mohammed, sandte Johanna von Orleans die Eingebung und prägte Zarathustra. Wenn Du bereit ist, wird Dir Gabriel die wesentlichen Aufgaben Deiner spirituellen Bestimmung verkünden.

Etwas wiederauferstehen zu lassen bedeutet, etwas wieder ins Leben zurückzurufen, das als tot galt, oder jemanden aus der Umklammerung des Gedankens an den Tod zu befreien. Genauso wie die Natur es uns jeden Frühling spüren läßt, so offenbarte Jesus uns den Weg. Mitten in Deinem Herzen lodert das Feuer des Geistes, der den sterblichen Körper wieder lebendig macht und die Toten ins Leben zurückrufen kann. Jesus stieg auf die Erde herab, um uns zu lehren, daß das Himmlische Königreich die bewußte Anerkennung Gottes in uns allen ist.

Dein Körper spiegelt sowohl Deine Seele als auch das sterbliche Bewußtsein wider. Wird die Seele vom Geist erleuchtet, so wird auch Dein Körper wieder lebendig und kann geheilt werden. Und tatsächlich wird die Schwingungsfrequenz der Zellen erhöht, um sie in Einklang mit Deinem Ewigen Ich zu bringen, das nichts anderes ist als Dein ureigenster Teil der wahren Gegenwart Gottes. Auch als Körper weißen Lichts bekannt, besteht es aus einem Energiestrahl reinster Leuchtkraft. Es stellt eine nie versiegende Quelle der Liebe, Weisheit und Macht Gottes dar. In diesem Körper fuhr Jesus gen Himmel; und sein Weg steht auch Dir offen! Stelle fortan göttliche Gedanken, Gefühle, Vorstellungen und Erkenntnisse in den Mittelpunkt, denn sie sind Dein Geburtsrecht und Deine Wahrheit. Konzentriere Dich dabei jeden Tag, jede Stunde, ja jeden Augenblick auf das Licht, das Dich erhält, und atme die Dankbarkeit, die Dir diese Verbindung beschert.

Bete jeden Abend, daß Gabriel Dich mit der Flamme der Wiederauferstehung erfaßt. Während Du dann schläfst, wird das Bewußtsein von all den einengenden Zwängen des Geistes befreit. Wenn Du plötzlich angstvoll erwachst, so hast Du Dich wahrscheinlich im Angesicht Gottes aufgehalten; und diese Erfahrung ist einfach zu viel für Dein Nervensystem. Anfangs kann der Verstand diese intensive Energie nicht deuten und reagiert mit der Ausschüttung von Angsthormonen. Dennoch sind dies segensreiche Momente! Hat Dich Gabriel in seiner Liebe gebadet, so erwachst Du im Triumph, ein neuer Mensch zu sein.

Rufe Gabriel an, damit er das Wissen um Dein Ziel und Deine Bestimmung wieder mit Leben erfüllt. Bitte ihn, Dich zu lehren, wie Du immer höhere Stufen erklimmen kannst, um schließlich die Wahrheit Deines Seins zu erreichen. Ostern ist die Kraft der Wiederauferstehung besonders stark, also nutze diese Chance zur Selbstheilung und zum Aufstieg, bis Du endlich völlig frei bist! Vernimm auch die Stimme Gabriels, wenn er Dich anruft, so wie einst Maria: „Gegrüßt seist *du,* voll der Gnade! Der Herr ist mit dir."

Musik: John Astin: „Love, Serve & Remember" aus dem Album *Remembrance*
Raphael: „Resurrection" aus dem Album *Music to Disappear In*
Merlin's Magic: das Album *The Spirit of Scorpio*
Silent Thunder: „Sun Suite" aus dem Album *Sun Suite*

5

Erzengel Raphael

HEILUNG

Sobald du dir vertraust,
sobald weißt du zu leben.
Goethe, *Faust*

Der Name Raphael bedeutet „Gott heilt". Obwohl es Raphael obliegt, die Erde und ihre Bewohner zu heilen, zollt er Gott volle Anerkennung für seine Taten. Seine erste Mission lautet, die äußeren Denkmuster zu reinigen, Deine Gedanken in höhere Dimensionen zu erheben und Dich mit falschem Glauben brechen zu lassen. Wenn Geist und Herz offenstehen, wird Dein unerschütterlicher Glaube an die Oberfläche dringen und Dein Bewußtsein Deinem Ewigen Ich entgegenheben. Die nächste Aufgabe Raphaels besteht dann darin, die Zellen, das Gewebe und die Organe Deines Körpers zu reparieren und Deinen Blutkreislauf zu reinigen. Nun ist Dein Körper in der Lage, sich von der reinen Essenz des spirituellen Lichtes zu nähren. Wenn sich Deine Schwingungsfrequenz nun erhöht, dann fährt ein Blitzschlag der Liebe mitten in Dein Herz und ruft Körpergefühle in Dir wach, die Du nie für möglich gehalten hättest. Und damit wirst Du zum Mittelpunkt unverfälschter und bedingungsloser Liebe. Jetzt werden auch andere Körperzentren von diesen spürbaren Schwingungen erfaßt und legen unvorstellbare Gaben des Geistes frei, die allzu lange im verborgenen schlummern mußten.

Alle Heilkräfte und -mächte unterstehen dem wachsamen Auge Raphaels und seiner Heerscharen. Diese erfüllt es mit besonderer Freude, wenn sie als Ort ihres Wirkens auf ein offenes Herz und einen ebensolchen Geist treffen. Es sind immer mindestens drei heilende Engel, die jedes Krankenhaus mit einem Licht aus Heilstrahlen umgeben, um dort Leid von den Menschen zu nehmen, ihnen Hoffnung zu spenden und ihre Schmerzen zu lindern. Mit

Deinem Gebet bringst Du einen Engel an Deine Seite; und wenn bestimmt ist, daß sich das Leben eines Patienten noch nicht erschöpft hat, so werden die Engel ihre Kräfte darauf konzentrieren, ein weiteres Ausbreiten der Krankheit zu verhindern, den Patienten zu erleuchten und den Ärzten den Weg zu weisen. Blockierte Teile des Ätherkörpers werden von den heilenden Engeln freigemacht, damit die Ströme kosmischer Energie sowohl die Ursache als auch deren physische Manifestation beseitigen können. Am aktivsten sind sie im Dunkel der Nacht, wenn die lebenserhaltenden Kräfte auf ihrem Tiefpunkt sind. Jedesmal, wenn Du Dich in ein Krankenhaus oder eine kurative Einrichtung begibst, solltest Du diesen gesegneten Seelen für ihren unermüdlichen Einsatz Gruß und Dank entbieten.

All die heilenden und unsere Erde verschönernden Kräfte stehen unter dem Einfluß Raphaels. Bitte ihn, Schönheit direkt in Deine Seele einzufangen, um so den Heilungsprozeß zu beschleunigen. Rufe Raphael an, wenn Du bei der Schaffung eines heilspendenen Ortes der Führung bedarfst. Setze die Musik Israfels ein, die Schönheit und den Wohlgeruch Jophiels, die Reinheit Shushienaes, den Frieden Kaeylaraes, die Ausgewogenheit Charmienes und Uzziels Glauben zusammen mit seinen Transformationskräften. Orientiere Dich ganz bewußt an den heilenden Engeln, um eine reinigende und läuternde Atmosphäre heraufzubeschwören, die physischen, mentalen und emotionalen Heilungsprozessen förderlich ist. Sobald sie angerufen werden, leiten die Engel einen vollkommenen Heilungsprozeß ein, indem sie Dich in einen Kokon aus Trost, Verständnis und Liebe einspinnen.

Dein Körper ist Deine Schöpfung. Er sagt Dir, was funktioniert und was nicht. Die meisten von uns kommen mit einem schönen, einwandfreien Körper auf die Welt, der all seine Überlebenskraft aus dem natürlichen ungehinderten Fluß universeller Energie zieht. Man denke nur daran, wie unermüdlich und spontan kleine Kinder sind. Sie essen, wenn sie Hunger haben, schlafen, wenn sie müde sind, und verleihen all ihren Gefühlen unverhohlen Ausdruck. Wenn jedoch die Erfahrungen des Lebens erst ihre Spuren hinterlassen, stellen sich ungute Gewohnheiten ein. Diese mögen zwar dem reinen Überleben zuträglich sein, hemmen dafür aber gleichzeitig den Fluß unserer natürlichen Energie. Dauerhaft schlechte Angewohnheiten schlagen sich in unserem Körper in Form von Schmerzen, Müdigkeit und anderen Beschwerden nieder. Gibt man nicht rechtzeitig acht, so werden die Symptome deutlicher spürbar und haben schließlich vielleicht ernste oder gar tödliche Konsequenzen. Du kannst Dich zu allem entscheiden, was Dein Körper zu seiner Heilung bedarf, oder aber Du mußt ihn aufgeben.

Auch Deinem Körper sind Bewußtsein und Gefühle zueigen, und für unsere Entwicklung ist er von allergrößter Wichtigkeit. Lerne, auf ihn zu hören und ihn zu lieben. Wenn Du leidest, schenke ihm Deine ganze Aufmerksamkeit, statt Kummer mit Medikamenten fernhalten zu wollen. Machst Du gerade schlimme Schmerzen durch, dann ist dies anfangs wahrscheinlich nicht gerade leicht. Tauche ganz und gar in den Schmerz ein, indem Du ein Gebet in Deinem Herzen bewegst, worin Du Gott ersuchst, er möge Dich mit Heilenergie ausfüllen. Bemühe Dich dabei, mit derselben Intensität zu beten, mit der Dich der Schmerz gepackt hat, aber versuche nicht, es zu erzwingen. Gott ist einerseits genauso schmerzerfüllt, andererseits aber voll der Ekstase und Begeisterung. Wenn Dein Gebet tatsächlich in die innersten Regionen Deiner Seele vordringt, dann wird es Gottes Werk sein, den Schmerz umzuwandeln. Laß den Mut nicht sinken! Wenn die Schmerzzustände jedoch unerträglich werden, so ergreife die Maßnahmen, die nötig sind, damit Du Dich davon erholen kannst, bis Du wieder in der Lage bist, Dich ihnen zu stellen.

Gesundheit und Lebenskraft sind naturgegeben. Die ganze Zeit über geben Dir Deine Symptome Aufschluß darüber, wo die Ursachen dieses Ungleichgewichts zu suchen sind. Laß zu, daß Dein Körper tiefe Gefühle auf die ihm angenehmste Weise an die Oberfläche dringen läßt, also meistens in Form von Bewegung oder Lautäußerungen. Wenn Deine Gefühle dann akzeptiert, ja sogar willkommen geheißen werden, bediene Dich Deines Geistes, um heilendes Licht einströmen zu lassen. Auf diese Art werden sich sowohl Geist als auch Körper der Heilung und Stabilisierung öffnen.

Wenn Gefühle unterdrückt werden, verbleiben sie in dem Teil des Körpers, in dem man sie ursprünglich empfunden hat. Dieser Bereich wird dann taub und erstarrt zu einem harten Knoten, der nicht länger voller Energie schwingen kann. Unterdrückst Du das Wissen um ein Trauma, kann Dich dieser Schmerz ganze Lebenszyklen hindurch verfolgen, und zwar so lange, bis Du endlich bereit bist, Dich ihm zu stellen. Das Körperbewußtsein mit jemandem zu trainieren, der dazu fähig ist, führt unter Umständen dazu, daß Du diese Gefühlsrudimente aufspüren und mit Hilfe von Freisetzungsarbeit ihre Transformation bewirken kannst.

Unterziehe Deine Lebensumstände und Deinen Lebensstil einer kritischen Betrachtung. Welche Auswirkungen hat Dein Tun auf Dich? Bist Du müde, so ruhe Dich aus. Führe Deinem Körper die gesunde Nahrung zu, die er braucht. Bist du süchtig nach Zigaretten, Koffein, Alkohol oder Drogen; ißt Du große Mengen an Fast Food oder setzt Du Dich regelmäßig starkem Streß aus, dann mußt Du tief in Dich gehen und Dir die Frage stellen, was Du eigentlich zu lernen versuchst? Gestalte Dein Leben so, daß Du den Empfindungen Deines Körpers Rechnung trägst. Dies kann bedeuten, daß Du Deine Arbeitsstelle wechseln mußt oder Deinen Wohnort, daß Du Dir neue Freunde suchen oder neue Beziehungen aufbauen mußt, ja, daß Du Deinen Lebensstil ändern mußt. Denn es ist genau das Leugnen Deines Wissens, das Dich krankmacht. Du hast die Macht, das zu ändern! Ersuche um jede nur erdenklich Hilfe, damit Du endlich Deine wahren Gefühle zu akzeptieren lernst. Bitte Raphael darum, seine Engel auszusenden, um Dir den Weg zu diesem Heilungsprozeß voller Liebe zu erleuchten.

Musik: Raphael: „River Seeks the Deep" und „Healing Dance" aus dem Album *Music to Disappear In II*
Michael Jackson: „Heal the World" aus dem Album *Dangerous*
Aeoliah: das Album *Angel Love*

Merlin's Magic: das Album *The Spirit of Capricorn*
Merlin's Magic: das Album *The Spirit of Cancer*
Merlin's Magic: das Album *Chakra Meditation*
Merlin's Magic: das Album *Reiki – The Light Touch*

6

Uriel

MINISTRATION

Seid getrost und unverzagt, fürchtet euch nicht, und laßt euch nicht vor ihnen grauen; denn der Herr, dein Gott, wird selber mit dir wandeln, und wird die Hand nicht abtun, noch dich verlassen
Deuteronomium 31:6

Uriel ist der Geist der Ministration und des Friedens. Wird der Name Gottes angerufen, so ist es stets Uriel, der als Antwort so viel Liebe, Heilkraft, Glauben und Mut sendet, wie nur empfangen werden kann. Er trägt dazu bei, unsere schlimmsten Enttäuschungen in unsere größten Segnungen umzuwandeln. Bisweilen muß dazu erst einer unser begehrlichsten Träume in Form einer unangenehmen Erfahrung begraben werden, damit wir uns des Ursprungs neuen Lebens und Verständnisses sowie neuer Chancen bewußt werden. Sein Feuer stellt eine Inspiration dar.

Will Dir das Herz brechen und Du rufst verzweifelt „Hilf mir, o Herr", dann werden Uriel und seine Heerscharen zu Dir herabsteigen und Frieden verheißen. Sei offen und bereit, die Antwort zu akzeptieren. Zweifel, Schuld- und Schamgefühle würden die Intensität der Reaktion, die Du in Dir aufsteigen fühlst, nur schmälern. Wird sie dagegen voll akzeptiert, dann wird für alles gesorgt, dessen Du in dem Augenblick der Verzweiflung bedarfst.

Uriel lehrt Dich, aus den Zwängen des Lebens heraus Stabilität und Gewißheit zu entwickeln, und er bestärkt Dich in Deinem

Glauben, wenn er in schwierigen Zeiten Dein furchtloser Wegbegleiter ist. War das Ziel zu hoch gesteckt und scheiterst Du daran, so wird Uriel Dich ermuntern, es noch einmal zu versuchen; ist Dein Bemühen schließlich von Erfolg gekrönt, wird er den Feierlichkeiten beiwohnen und um Vermittlung eines ausgewogenen Selbstwertgefühls bemüht sein. Nimmst Du Dich zu ernst und wird Dein ausuferndes Ego zu einer Belastung, so wird er Dir wieder den Pfad der Wahrheit weisen.

Leiste bedeutsame Arbeit, ohne Selbstgefälligkeit an den Tag zu legen, weil dann das Ego so viel Energie braucht, um dieses Gefühl zu nähren, daß für Deine Arbeit herzlich wenig übrig bleibt. Auf diesem Pfad der Entdeckung und Erforschung wirst Du lernen, Dein Leiden zu lindern und die Segnungen zu finden suchen, die eine Enttäuschung in sich birgt.

Die von Uriel Auserkorenen sind offen, seine Liebe und seinen Schutz zu empfangen, um beides dann bei Bedarf an andere weiterzugeben. Übe Dich darin, Dich in Liebe einzubinden, die so stark ist, daß sie negativen und üblen Einflüssen widerstehen kann. Wenn Du Dein Kraftfeld positiver Energie allen Widrigkeiten zum Trotz aufrechterhalten kannst, dann wirst Du Strahlen hellen Lichts aussenden und jederzeit in der Lage sein, den Engeln zu helfen, um Deinen Brüdern und Schwestern hier auf Erden Beistand zu leisten. Lerne, Deine Energien richtig zu bündeln, und gehe in dieser hingebungsvollen Aufgabe auf.

Musik: Enya: das Album *Shepherd Moons*
Patrick Bernhardt: das Album *Atlantis Angelis*
Patrick Bernhardt: das Album *Solaris Universalis*
Tim Wheater: „The Quest" und „A Thousand Heartbeats" aus dem Album *Green Dream*
Merlin's Magic: das Album *The Spirit of Capricorn*

7

Zadkiel

GEBET

Und nun, o Seele, Du schönste aller Schöpfungen,
die du begierig bist zu lernen von dem Hort des Angebeteten,
auf daß du ausziehest,
Ihn zu suchen und mit Ihm eins zu werden;
können doch wir dir sagen,
daß du, ja du allein, der Hort ihm bist ...
ein heimliches Versteck
Der Heilige Johannes vom Kreuz, *Lobgesang*

Zadkiel wacht über die Mächte der Anrufung. Die bekannteste und wirkungsvollste Art der Anrufung stellt das Gebet dar. Das wahre Gebet ist der innige Ruf Deines Herzens – ausgerichtet vom Bewußtsein des Geistes und verstärkt durch die Macht des Verlangens. Diese Art Gebet darf nicht einfach wie ein Stoßseufzer zum Himmel geschickt werden wie es etwa in einer Notlage der Fall sein mag. Du mußt vielmehr die Kunst des Betens in Form einfacher Zwiegespräche mit Gott erst lernen. Bruder Lawrence führte uns sein Beispiel vor Augen: „Wir müssen versuchen, auf jede nur erdenkliche Art und Weise mit Gott in Kontakt zu treten, während wir unserer Arbeit nachgehen – nicht in Form auswendig gelernter Gebete und genauso wenig in dem Bemühen, vorformulierte Gedanken aufzusagen. Wir sollten ihm vielmehr unser Herz ausschütten, indem wir uns der Worte bedienen, die uns gerade in den Kopf kommen – schlicht und unverfälscht."

Wenn Du Dich darum bemühst, Gott in alle Bereiche Deines Lebens einzubinden, dann wirst Du ganz allmählich alte Denkstrukturen voller Vorurteile, Kritik und Verzweiflung aufbrechen und die Göttlichen Prinzipien Liebe, Hingabe und Dankbarkeit an ihre Stelle treten lassen. Möchtest Du um Hilfe ersuchen, so drücke diesen Wunsch präzise, unmißverständlich und affirmativ aus. Versinke in tiefer Meditation und lasse Gott oder Dein Ewiges Ich an Deine Seite treten. Hast Du dann das Gefühl, in Wahrheit und Liebe eingebettet zu sein, so gib Dich ganz dem Gedanken an das Höchste Gut und den vollkommenen Willen Gottes hin. Und genau die Eigenschaft, derer Du bedarfst, wird unverzüglich herbeigerufen werden durch diese Einheit mit Gott oder mit Deinem Ewigen Ich sowie durch das brennende Verlangen, Beistand zu leisten.

Das Reich des Gebetes ist zeit- und raumlos. Hast Du das Gefühl, ein Freund sei unerreichbar, oder bist Du der Meinung, Du seist nicht vom Geist beseelt, so wird die Vorstellung einer Trennung hervorgerufen und die Kraft Deiner Anstrengung gemindert. Genauso bringen Dich Zweifel und Furcht von dem Weg des guten Willens ab und können sogar dazu führen, daß Dein Ruf ungehört verhallt. Der Glaube arbeitet jedoch für Dich, wenn Du lernst, Deinen Kopf und die Gefühle freizumachen von falschen Vorstellungen und negativen Denkmustern.

Der zweite Teil des Gebets besteht darin, zu danken und Herz und Geist zu öffnen, damit Du die Gegenwart des Ewigen empfangen kannst. Wartest Du vergeblich auf ein Ergebnis, so glaube nicht, Dein Gebet sei ungehört verhallt. Oft bist Du einfach nicht in der Lage, die Antwort als solche zu erkennen, oder Deine Zweifel lassen es nicht zu, die Antwort zu erfahren. Bitte darum, alle Überzeugungen zu verstehen, die Dein Bewußtsein blockieren, und genügend Selbstwertgefühl zu entwickeln, daß Du Deine Einzigartigkeit akzeptieren kannst. In der Zwischenzeit mußt Du unverdrossen beten und an die Macht des Gebetes glauben.

Musik: Madonna: „Like a Prayer"
Rob Whitesides-Woo: das Album *Miracles*
Tim Wheater: „Stelle Maris" aus dem Album *Green Dream*
Terry Oldfield: das Album *Out of the Depths De Profundis*
Die Benediktiner-Mönche von Santo Domingo De Silos: das Album *Chant*
Gregorio Allegri: „Miserere"

Die nachgeordneten Erzengel

8

Ramaela

FREUDE

Also auch, sage ich euch, wird Freude sein
vor den Engeln Gottes [...].
Lukas, 15:10

Freude ist Nahrung für die Seele, der Hauch ewigwährender Ekstase, der in den himmlischen Lüften liegt. Ramaela wird auf den Schwingen der Freude getragen, und ihre Schöpfungsfeuer sind es, die die Frühlingsknospen sprießen lassen. In diesem Reich des Wahren lebt Dein Ewiges Ich, denn hier lockt die innigste Liebe, die Du Dir vorstellen kannst. Mit ihrem steten Ruf will sie Dich einen kurzen Blick erheischen lassen auf Deine eigene unsterbliche Pracht und in Dir das Verlangen nach Deiner spirituellen Heimat wachrufen.

Freude ist nichts, um das man sich eigens bemühen müßte; wie wahres Glück, so ist auch sie ein natürlicher Zustand, den man nur tief in sich selbst zu spüren vermag. Freude zu empfinden ist die spontane und alles erfassende Gabe der Anmut. Du magst sie angesichts eines leise plätschernden Bächleins spüren, wenn das Zwitschern eines Vogels die Luft erfüllt oder eine leuchtende Blüte sich in ihrer ganzen Pracht entfaltet; bemühe dich dann darum, diese Freude all jenen zu vermitteln, mit denen Du im Laufe des Tages zusammenkommst.

Stehst Du freudespendenden Anlässen positiv gegenüber? Auch Wissen, die Wahrheit und das Leben sind Ausdruck wahrer Freude. Dieser tagtägliche Bewußtseinszustand läßt sich mit Deiner Haltung erklären, wenn Du Dich auf Deine Arbeit, Dein Zuhause und Deine Familie konzentrierst. Ist das Leben für Dich zu Mühsal geworden? Beklagst Du diesen Zustand? Schöpfst Du Energie daraus? Bist Du erwartungsfroh gestimmt oder gelangweilt?

Wenn Du froh gestimmt bist, werden Dir Energie und Schaffenskraft zuteil, so daß die Verbindung zwischen den Engeln und Dir automatisch harmonisch ist. Läßt Du Dir von den Gefühlen, die Dich in eine freudige Stimmung versetzen, den Weg weisen, so akzeptierst Du auf diesem Weg der Freuden die Führung Deines Ewigen Ich und Deine spirituelle Bestimmung. Entsprechen die Umstände nicht ganz Deinen Wünschen, lasse Dir etwas einfallen und bitte um Ramaelas Hilfe bei der Umwandlung von Langeweile in spielerische Kreativität. Selbst der Hausputz und andere scheinbar profane Aufgaben können zu feierlichen Anlässen voller Ausgelassenheit werden.

Die Engel treten stets spontan auf den Plan – vereint im Chor des Frohsinns. Auch Du wirst einen wahren Überschwang an Freude verspüren, wenn Du Dein Ewiges Ich immer weiter an die Oberfläche dringen läßt. Bist Du diesem Licht dankbar und weißt es zu würdigen, dann wird Deine Strahlkraft ins Unermeßliche erhöht. Teile Deine Freude mit allen Menschen, mit denen Du zusammenkommst, und achte einmal darauf, wie dadurch Energie umgewandelt wird! Du wirst Dich in so harmonischer Einheit mit anderen finden, daß es keiner Worte mehr bedarf. Am Ende dieses Weges der Freuden, den wir mit anderen zusammen beschreiten, werden wir in der Heimat angelangt sein.

Musik: Anita Baker: „You Bring Me Joy“ aus dem Album *Rapture*
G. F. Händel: „Hallelujah-Chor“ aus dem *Messias*
J. S. Bach: „Gloria“ aus der *Messe in B-moll, BWV 232*
Silent Thunder: „Sun Suite“ aus dem Album *Sun Suite*
Merlin's Magic: das Album *The Spirit of Cancer*
Merlin's Magic: „Herz-Chakra“ aus dem Album *Chakra Meditation*

9

Erzengel Mihr

BEZIEHUNGEN

Denken Sie nie etwas anderes, als daß Gott diese Dinge fügt.
Und wo keine Liebe ist, sehen Sie Liebe,
und Sie werden Liebe gewinnen.
Der Heilige Johannes vom Kreuz,
Brief an Maria de la Encarnacion

Mihr ist der Engel der Freundschaft, der Liebe und der Gnade Gottes. Mihr wacht über das Beziehungsgeflecht innerhalb von Gruppen, seien es nun unser engster Familien- oder der Freundeskreis, Geschäftskontakte oder Einrichtungen, mit denen wir uns identifizieren. Als Architekt mit der Aufgabe betraut, gesellschaftliche Strukturen aufzubauen, obliegt es Mihr, daß sich drei oder mehr Menschen in einer Gruppe zusammenfinden, um ihre Fähigkeiten und Interessen zu bündeln und so der Sache eines wie auch immer gearteten Fortschritts hier auf Erden zu dienen. Diese Gemeinschaften können sich einerseits auf der Grundlage eines gesunden Selbstverständnisses und gegenseitiger Wertschätzung entwickeln, andererseits ist es genauso möglich, daß sie reine Zweckgemeinschaften sind, die ihre Kräfte nur im Hinblick auf ein klares Ziel bündeln.

Eine spirituelle Gemeinschaft ist nahezu unerläßlich für unser Wachstum. Wir brauchen die Gesellschaft Gleichgesinnter, damit wir auf unserem Weg in die Heimat in unserem Glauben bestärkt werden. Ist Dir bis jetzt noch nichts von einer solchen Gruppe bekannt, so bitte Mihr, Dich in eine solche einzuführen. Du mußt dabei mit einer Antwort rechnen, wie Du sie oft nicht erwartet hättest. Es kommt höchst selten vor, daß leibliche Familienangehörige denselben spirituellen Bestimmungspfad beschreiten. Weitaus öfter wandeln sie auf anderen Wegen und lassen gerade in schwierigen Zeiten die nötige Unterstützung vermissen oder legen nicht genug Gemeinschaftssinn an den Tag, um bedeutsame Siege gebührend zu feiern. Die spirituelle Gemeinschaft wird Deine Ewige Familie. Dabei reicht es allerdings nicht, nur einmal in der Woche gemeinsam zu meditieren oder einen Gottesdienst abzuhalten. Am segensreichsten ist es, wenn Du Dich voll einbringst und alles gibst, was Du zu geben hast – voller Liebe, Wahrhaftigkeit und Fürsorge.

Mihr bringt Menschen zusammen, die in ihrem Hoffen und Streben vereint sind. Scheinbar bedeutungslose Zusammenkünfte können durchaus Energieschübe und eine Steigerung der Leistungsbereitschaft bewirken und so für dauerhafte Veränderung sorgen. Achte darauf, wo sich Dir solche einzigartigen Beziehungen überall auftun – bei der Arbeit, im Umgang mit Zimmergenossen und in Bereichen, in denen Du Dich leidenschaftlich engagierst – die Not der Armen und Obdachlosen zu lindern, Recycling voranzutreiben, der Umweltverschmutzung ein Ende zu setzen, oder Dich für Kindertagesstätten, ein besseres Bildungswesen und Gewaltverzicht einzusetzen. Obgleich viele Gemeinschaften vorbestimmt sind, bedarf es dennoch des Engagements und der Entschlossenheit, um sie genau zu erkunden und ihr Potential auszuschöpfen. Bitte Mihr, Dich mit denjenigen in Kontakt zu bringen, die Dir helfen können, Deinen Göttlichen Plan zu verwirklichen.

Die Familie kann das wertvollste Wachstumsinstrument sein. Auf Grund der besonders engen Beziehung ist es möglich, über Teile Deiner selbst zu reflektieren, die Dir sonst vielleicht ewig verborgen blieben. Dies scheint oft Konlikte oder Ärger heraufzubeschwören, so daß es schwierig sein kann, das eigene Anliegen überhaupt wiederzuerkennen. Wird die Familie nicht als Quelle neuer Erkenntnisse und einer Bewußtseinserweiterung gesehen, so läßt man segensreiche Gelegenheiten ungenutzt verstreichen, und Fehlfunktionen werden von einer Generation an die nächste weitergegeben.

Kinder werden in die Welt gesetzt, um einen Ausgleich zwischen dem männlichen und weiblichen Prinzip ihrer Eltern herzustellen. Es kann durchaus sein, daß sie deren Gefühle bei der Empfängnis widerspiegeln. Herrschten Einigkeit, Liebe und der Wunsch nach einem Kind vor, so ist die beschworene Seele möglicherweise umgänglich und voller Respekt. Waren Gewaltanwendung, Schuldgefühle oder nur flüchtige Liebe im Spiel, so kann es sein, daß das empfangene Kind die Situation der Unterdrückung und des Konfliktes, in der sich die Eltern befanden, zum Ausdruck bringt. Täuschst du Deine Liebe gar nur vor, fügst Du Deinen Kindern seelischen oder physischen Schaden zu oder mißbrauchst sie gar sexuell? Als erstes mußt Du Dir an einem Ort, wo Du allein und ungestört sein kannst, Deiner wahren Gefühle bewußt werden. Es liegt in Deiner Macht, Deine Gefühle nicht länger in Form zerstörerischer Taten zu zeigen, sondern sie auf liebevoll heilende Weise zu bekunden. Sobald in Dir eine Wandlung vorgegangen ist, kannst Du Deinen Kindern aus der Position der liebenden Aufnahme in den elterlichen Schoß gegenübertreten. Bist Du in der Lage, ihnen zu vermitteln, ihre wahren Gefühle anzunehmen, dann kann sich die Familie zu einem heiligen Instrument des Erwachens entwikkeln.

Wie stellten sich die Umstände zur Zeit Deiner Empfängnis dar? Ist der Umgang mit Deinen Eltern und Geschwistern immer noch von Verhaltensstörungen gekennzeichnet? Mit Deiner Kraft der Vergebung und Heilung kannst Du eine Veränderung herbeiführen. Bist Du in der Lage, Dir selbst zu vergeben, kann das auf ganz wundersame Weise sogar das Leben Deiner Eltern beeinflussen, auch wenn ihr gar keinen Kontakt miteinander hattet. Eines Tages sind sie plötzlich wie umgewandelt. Durch neugewonnenen Respekt und ungeahntes Verständnis wird der Schleier der Trennung gelüftet. Ergreife jede sich bietende Möglichkeit, mit alten Verhaltensmustern zu brechen.

Welch wundervolle Welt wird das sein, in der Kinder in eine liebevolle und fürsorgliche Umgebung hineingeboren werden. Dann könnte man seine Jahre als Erwachsener ganz in den Dienst der eigenen Entwicklung stellen, anstatt sich von leidvoll antrainierten Verhaltensweisen der Vergangenheit zu befreien. Bist Du nicht mit einer Familie gesegnet, die Dir in Liebe zugetan ist und Dich auf Deinem spirituellen Pfad unterstützt, so schaffe Dir eine eigene. Rufe Mihr an, er möge Dir helfen, mit anderen in Kontakt zu treten, die auf ähnlichen Wegen wandeln. Versprecht euch, in guten wie in schlechten Tagen füreinander dazusein, die Wahrheit zu sagen, auch wenn es wehtut, und Mißverständnisse und Egoismus aus dem Weg zu räumen; seid ferner bereit, wertvolle Augenblicke voller Freude und Glück miteinander zu teilen.

Musik: John Denver: „Annie's Song"
Genesis: „No Son of Mine" aus dem Album *We Can't Dance*
James Taylor: „The Water is Wide" aus dem Album *New Moon Shine*
Kenny Loggins: „Cody's Song" und „My Father's House" aus dem Album *Leap of Faith*
Merlin's Magic: „Sakral-Chakra" aus dem Album *Chakra Meditation*

10

Israfel

MUSIK

Niemand singt so wunderhell wie der Engel Israfel.
Und die heit'ren Sterne (so es die Legende will)
halten ein in ihrer Hymne,
lauschen gar der Stimmenpracht, totenstill
Edgar Allen Poe, Israfel

Obgleich alle Engel Gott mit ihrem Lobgesang erfreuen, so gibt es eine eigene Ordnung, der es obliegt, uns die Sphärenklänge näherzubringen. Israfel und seine Heerscharen verkörpern das Schöpfungswort Gottes. Die Engel sprechen aus dem Geist und singen von Herzen, sie bedienen sich also nicht der Stimmbänder so wie wir. Ihr Singen gleicht vielmehr einem Summen oder einem Singsang, da sie in Tönen schwelgen, denen sie keine Worte unterlegen.

Versuche einmal, Dich an irgendeinen Augenblick in Deinem Leben zu erinnern, wo Du derart kraftvoller und schöner Musik gelauscht hast, daß Du in Ekstase geraten bist. Das war das Werk der Engel, die an Dein Herz rührten und Dir ganz spontan ein Tor öffneten, damit Du die unwiderstehliche Macht ihrer Ausdrucksweise am eigenen Leib spüren konntest. Diesem Vergleich kann unsere Musik hier auf Erden wahrlich nicht standhalten.

Diese Chöre suchen stets auf ein offenes Herz und ein ebensolches Gehör zu treffen, auf daß unsere Welt endlich einen Zustand der Harmonie erreicht. Diese Melodien des Geistes sind weitaus mehr als bloße Schallwellen, da sie Schwingungen der Kommunikation aussenden, die alle Wesen verstehen können. Jeder von uns ist Teil jenes mächtigen Orchesters des Universums, mit dessen Hilfe die Engel unseren dürstenden Seelen Inspiration, Läuterung, Geleit, Glauben und Liebe zuteil werden lassen. In Streßsituationen wie auch in heroischen Momenten oder Augenblicken der Erleuchtung macht sich das Ewige Ich innerlich gerade die Hymne zu Diensten, der es bedarf, um Mut, Ausgeglichenheit oder Gelassenheit zu vermitteln. Bitte darum, voller Verzauberung in dieser erhabenen Energie des Geistes aufgehen zu dürfen.

Musik stellt Schwingung dar. Es heißt, die Engel, die Gott am nächsten sind, sängen „heilig, heilig, heilig". Dabei preisen sie nicht nur Gottes Größe, sondern bündeln darüber hinaus die Wellen, die Gott aussendet, um sie dann in den Raum zu strahlen. Und es sind genau diese Melodien, die Welten entstehen lassen. Diese Schöpfungsmelodie wird mehrfach verdichtet, wenn sie die Hierarchie der Engel durchläuft, um die Gestalt des Archetyps anzunehmen und schließlich in physikalische Materie umgewandelt zu werden – in Form von Lichtkörper, Klangbild, Schwerkraft oder Funkwelle.

Die Askenas sprachen das hebräische Wort für „heilig" *kadoosh* aus. Wiederholt man es oft langsam und leise, so klingt es wie der Wellen Brandung. Und genauso wie der Ozean ans Ufer brandet, erreicht ein unermeßliches Energiefeld unsere Erde in Wellen, die die Engel ausgesandt haben. Und eben diese Wellen tragen den geheiligten Namen Gottes – das Wunder der Liebe, die alle erfaßt.

Für die Transformation des niederen Ich zum Ewigen Ich stellt Musik ein machtvolles Instrument dar. Suche Dir Musik aus, die Dich stärker in die Lage versetzt, zu schwingen und empfinden. Ist Deinem Körper daraufhin danach zu tanzen, so bedeutet das, daß Du Dich öffnest, um mehr Liebe einströmen zu lassen. Rührt Musik an Dein Herz, öffnest Du Dich, um Liebe zu empfangen. Wenn Musik Dich sinnlich und leidenschaftlich werden läßt, wirst Du lebendiger. Hilft Dir Musik, Deinem Unmut und Deinem Zorn Luft zu machen, so öffnest Du dich, um Platz zu schaffen für die Transformation, die Dich am Ende einer langen Reise in die Heimat führen wird! Hebt die Musik den Schleier der Traurigkeit von Deinem Herzen, ist Dein Sehnen geradezu übermächtig. Diese Schwingung stellt Deine direkte Verbindung mit der Energie Gottes dar, mit den Engeln und Deinem Ewigen Selbst.

Laß die Vorstellung sakraler Musik hinter Dir und versuche, den Herzschlag Gottes auch in dem Rauschen des Verkehrs oder in rhythmischem Maschinengeräusch auszumachen. Auch Heavy Metal, Schlagzeugrhythmen und Rock 'n' Roll sind Träger der Energie und Weisheit der Jahrhunderte und treffen auf Ohren, die nicht anders zu hören gewohnt und bereit sind. Lausche der Sphärenmusik, erkenne Deine Vorurteile und mache Dir bewußt, wie oft Du Dir selbst Einhalt gebietest oder Dich sperrst. Rechne damit, die Stimme Gottes dort zu vernehmen, wo Du sie am wenigsten erwartet hättest, und halte Dir stets vor Augen, daß Du als Instrument des Ewigen eins bist mit den Engeln und der ganzen Schöpfung. Schließe Dich dem Chor der Engel an, um Dein ganz persönliches Loblied zu singen.

Musik: Aeoliah: das Album *Angel Love*
Merlin's Magic: das Album *The Spirit of Cancer*
Merlin's Magic: das Album *Chakra Meditation*

11

Erzengel Metatron

GEDANKEN

Ich sage euch aber, daß die Menschen müssen Rechenschaft geben am Jüngsten Gericht
von einem jeglichen unnützen Wort, das sie geredet haben.
Aus deinen Worten wirst du gerechtfertigt werden,
und aus deinen Worten wirst du verdammt werden.
Matthäus 12:36-37

Metatron ist der Archivverwalter oder auch Chronist Gottes. Hebräischen Legenden zufolge war er nicht seit jeher Engel, sondern vorher als Mann unter dem Namen Henoch bekannt. Die Legende will es, daß Henoch auf Gottes Pfaden wandelte und Aufnahme fand, das heißt, er starb nicht. In Metatrons Obhut befindet sich die Akasha-Chronik – Archive, in denen all unsere Gedanken und Taten auf einer in ständigem Fluß begriffenen und höchst sensibilisierten Leinwand geistiger Essenz festgehalten werden. Fortwährend bestimmt unsere mentale Einstellung unsere gegenwärtigen Lebensumstände wie auch unsere Zukunft

Es reicht nicht, sich nur vorzunehmen, fröhlichen Gedanken nachzuhängen. Das Ziel besteht darin, den Kopf freizubekommen von falschen Anschauungen, damit die Wahrheit vordringen kann. Du wurdest geboren, um Deine eigene Vorstellung von Gott zu leben. Bevor Du aber lernst, eine Verbindung zu Deiner Wahrheit herzustellen, wirst Du unter Zuhilfenahme automatisierter Reaktionen lediglich von dem Oberflächengeist gelenkt. Du handelst unter dem Einfluß von Emotionen und Deiner Umwelt, von Körperempfindungen, kulturell bedingten Anschauungen und Vorurteilen. Lernst Du, im Bewußtsein höherer Stufen zu leben, die es zu erklimmen gilt, dann füllt Dein Ewiges Ich Dein Bewußtsein aus, strebt es doch die Vereinigung in Liebe und Freiheit an.

Nichts nimmt jemals physikalische Gestalt an, das nicht zuerst ein Gedanke war. Du bist der Gedanke Gottes, und in Deinen schöpferischen Gedanken kannst Du Verbindung mit der ewigen Intelligenz aufnehmen. Bitte Metatron darum, Dein Denkvermögen wieder voll herzustellen und alles offenzulegen, was Dich einengt. Gottes Ausdrucksmittel ist die reine Vorstellungskraft. Sorge dafür, daß das Glas Deines Spiegels nicht blind ist, damit Du die Macht dieser göttlichen Gabe allzeit mit Augen und Ohren vernehmen kannst.

Deine äußere Realität wird von Deinen innersten Gedanken mittels magnetischer Anziehung geschaffen. Liebst Du Dich selbst und fühlst Dich behaglich, so wird sich das in Form eines bejahenden und bejahten Lebens niederschlagen. Mit Gedanken voller Vorurteile errichtest Du Mauern zwischen Dir und anderen; ungehaltene Gedanken ziehen verärgerte Menschen in Deinen Bannkreis; Selbstmitleid oder Rachegelüste beschwören Krankheiten herauf. Wie Du selbst auf Dich einwirkst, hat durchaus Auswirkungen auf Dein Leben. Gehe den Ursachen eines negativen Drehbuchs auf den Grund, mache Dir Gedanken darüber, wie sie sich in Deinem Leben manifestieren, und beseitige sie.

Genauso wie Verhaltensmuster die Reaktionen des Körpers bestimmen, beherrschen Vorurteile das Bewußtsein. Gewohnheiten überlagern Deine natürlichen Reaktionen und versuchen dann, den Harmonieverlust durch die pauschalisierten, veräußerlichten Regeln antrainierten Verhaltens auszugleichen. Um eine Gewohnheit aufzugeben, mußt Du Dir Deiner Gefühle hinsichtlich dieser Verhaltensweise und ihrer Auswirkungen auf Dein Leben klar werden. Was erreichst Du damit? Greifst du darauf zurück, um Deine Gefühle zu unterdrücken? Welcher Deiner Erfahrungen entspringt diese Verhaltensweise? Sobald Du Dich einmal dabei ertappst, wie Du sie wieder an den Tag legst, befindest Du Dich bereits auf dem Pfad der Freiheit. Man kann sich dann einer Gewohnheit entledigen, wenn das Bewußtsein ihrer Notwendigkeit enthoben wird. Du mußt die Verhaltensmuster entdecken, akzeptieren und verstehen, die ihm ermöglichen, eine neue Stufe der Bewußtheit in Dir zu erklimmen. Wenn Du Dich von einengenden Gedanken befreien kannst, wirst Du besser in der Lage sein, auf besondere Umstände so zu reagieren, wie es in dem jeweiligen Augenblick angemessen und für dich genau richtig ist.

Tief in Deinem Sein verbirgt sich eine Stimme, die es danach verlangt, gehört zu werden – sie schlummert hinter jedem Deiner Wünsche und jedem Deiner Ziele. Diese Stimme ist so zart, daß Du sie nur vernehmen kannst, wenn Du Dich wirklich ganz ruhig verhältst. Sollten Dinge, die Du begehrst, einmal nicht zu Deinem besten sein, so wird diese Stimme kaum vernehmlich Andeutungen die Warheit betreffend machen oder Dein Gewissen auf den Plan rufen. Wenn Du endlich ihren Ratschlägen folgst, wirst Du mit Deinem Ewigen Ich verschmelzen.

Laß Dir Zeit, um Dich in Ruhe zu besinnen und das Antlitz Gottes auf dem Spiegel Deiner Vorstellungswelt einzufangen. Kannst Du dank der Liebe von Deinem Herzen aus wachsen, so wird Deine Belohnung unermeßlich sein. Noch bevor Du morgens aufstehst, solltest Du Deine Gedanken dem Göttlichen weihen. Entscheide Dich für Gesundheit, Kraft und Liebe – nicht für Krankheit, Furcht und Leid. Dein Wille soll Gottes Wille sein, dann wirst Du Zeuge, wie Dein wahres Leben seinen Dienst aufnimmt!

Musik: Ennio Morricone: das Album *The Mission*
Mike Rowland: das Album *Fairy Ring*
Merlin's Magic: „Wurzel-Chakra" aus dem Album *Chakra Meditation*

12

Shushienae

REINHEIT

Und einem Engel gleich stieg ich herab.
Thomas Traherne, *Wonder*

Es ist der Lauf der Welt, daß wir besudelt werden und schließlich undurchdringlich, unsensibel und abgestumpft sind. Wir sind sowohl von emotionaler und mentaler Verschmutzung umgeben, die sich mit schlechten Erfahrungen und negativen Gedankenströmen erklären läßt, als auch von physischer, die daraus resultiert, daß wir verpestete Luft atmen und chemisch behandelte Nahrungsmittel zu uns nehmen; dies alles läßt uns altern und macht uns krank. Unsere innere Verschmutzung der Art, daß wir keine Nächstenliebe praktizieren, tritt in der Umwelt als Ölpest, Atomunfall und Mißachtung der Natur zutage. Verschmutzung verlangsamt die Schwingungsfrequenz der Zellen und läßt uns die Kräfte des Lichts, der Erkenntis und der Heilung schlechter absorbieren. Die Atome eines reinen Körpers und Geistes können ihre Geschwindigkeit erhöhen, um die Verbindung mit dem Ewigen Ich herzustellen. Ruf Shushienae an, sie möge Dir helfen, den Zustand der Reinheit herbeizuführen, indem sie Dich mit ihrer zarten und reinigenden Liebesenergie durchströmt.

In jedem Ort, jeder Großstadt, jedem Wohnviertel gibt es einen Engel, der über alle, die dort wohnen, wacht. Im Morgengrauen wird Prana verströmt, das Menschen, Pflanzen und Pflanzen-Devas in sich aufnehmen, damit das Leben in ihnen pulsieren kann und sie vor Verschmutzung und ungeordneten Schwingungen sicher sind. Ein spiritueller Hoffnungsträger wird stets bewacht, und sobald Beistand geleistet werden muß, wird dieser Handlungsbedarf signalisiert. Einer der Obersten Engel knüpft die Fäden zwischen jeder Gemeinde und dem unseren Planeten umspannenden Bewußtseinsnetz und trägt so dazu bei, Menschen zusammenzubringen, die bei verschiedenen Projekten zusammenarbeiten wollen und können, um die Reinigung und Entwicklung unseres Planeten voranzutreiben.

Im Laufe der Zeit wurde diesen wachsamen Wegweisern neben Liebesbekundungen und Dankbarkeitsbezeugungen ein bedeutender Platz am Heiligtum der Gemeinde zugestanden. Du kannst dem Engel Deiner Gemeinde ruhig weiterhin Ehre erweisen, indem Du in der Morgendämmerung im Freien Dank sagst. Zwar geschieht dies am besten auf einem besonderen Hügel oder an einem geheiligten Ort, aber letztlich ist jeder Ort recht.

Was brauchst Du zur Reinigung und Läuterung? Unterziehe Deine Essensgewohnheiten, Deinen Lebensstil, Dein Heim, den Arbeitsplatz, das Auto, Haus und Hof und Deine Denkmuster einer kritischen Betrachtung. Bist Du von Chaos umgeben, so wird es in Dir nicht viel besser aussehen. Suche Dich an einem sauberen Heim zu erfreuen und weihe es dem Ziel, Dich in Deinem geistigen Sehnen zu unterstützen. Sogar wenn Du die Toilette putzt, kannst Du ein Zwiegespräch mit Gott oder Deinem Hausengel führen. Unterziehe auch Deine Beziehungen einer Reinigung. Schaffst Du es, den Menschen reinen Wein einzuschenken, die eine große Rolle in Deinem Leben spielen?

Reinige Deine Gedanken, um Deine Vorliebe, Menschen und Dinge nach ihrem Äußeren zu beurteilen, hinwegzufegen. Bereite sinnlosem Geschwätz des Geistes ein Ende und lenke Deine Gedanken im Verlauf des Tages konsequent auf die Engel und Gott.

Wenn Du den Raum, der Dich umgibt, reinigst, kehre nicht nur vor der eigenen Haustür, sondern werde in größerem Rahmen tätig. Setze Dich für Abfalltrennung und Recyclingverfahren ein, verlange beim Gemüsehändler Gemüse aus biologischem Anbau und mache Dich für die Schaffung von Grünanlagen in Deinem Wohnviertel stark. Hilf älteren Nachbarn bei der Pflege ihres Grundstücks, bücke Dich nach achtlos weggeworfenem Abfall, beteilige Dich an verschiedenen Projekten zur Sauberhaltung eines bestimmten Bezirks, lasse keine Wahl aus, setze Deine gewählten Vertreter von Deinen Anliegen in Kenntnis, werde bei der Kommunalverwaltung vorstellig und erkundige Dich nach anstehenden Projekten. Während Du dies tust, verliere die Engel, die Dir den Weg weisen, nicht aus den Augen. Laß Dir ihre Weisheit vermitteln, und sie werden Dich mit ihrer Liebe geradezu überschütten! Erstaunliche Dinge werden sich ereignen! Und Erwachen bedeutet genau das – wachzusein und alles um sich herum wahrzunehmen. Bitte Sushienae, sie möge in der Morgendämmerung auch Dir Prana zukommen lassen. Wie ein laues Lüftchen im Frühling wird es Körper und Seele reinigen, neu beleben und mit Energie anreichern. Es wird Dir auch Mut machen und Dich dazu motivieren, Deine Welt zu reinigen und Deine Schwingungsfrequenz zu erhöhen. Und wieder wird es Dir ein leichtes sein, in Zwiesprache mit Deinem Ewigen Ich und den Engeln zu treten.

Musik: Richard Shulman: das Album *Light from Assisi*
Claudio Monteverdi: das Album *Sacrae Cantiunculae*
Aretha Franklin: „Wholly Holy"
Merlin's Magic: das Album *Reiki – The Light Touch*

Die erste Ordnung – Herzengel

13

Hadraniel

LIEBE

Ein Mensch liebt, um geliebt zu werden;
engelsgleich dagegen, wer um der Liebe willen liebt.
Alphonse de Lamartine

Allein die ewige Liebe befriedigt das Verlangen der Seele. Hadraniels Aufgabe besteht darin, die Erinnerung an diese Liebe in Dir wachzurufen. Kann man die drei Göttlichen Prinzipien – Liebe, Dankbarkeit, Hingabe – einmal in ihrer ganzen Intensität am eigenen Leib erfahren, so treiben sie den Heilungsprozeß unerschütterlich voran.

In der Engelschar ist die Liebe zu Gott das vorherrschende Gefühl. Bei den Menschen dagegen dominiert die Angst. Selbst wenn man im großen und ganzen glücklich ist und geliebt wird, so schlummert die Angst doch stets nur knapp unter der Oberfläche. Die Angst vor der Grausamkeit und dem Schmerz des Lebens können Dein Herz in einen Käfig sperren, dessen Gitterstäbe härter sind als Stahl. Bitte Hadraniel, Dir zu helfen, daß Du Dir der Ängste bewußt werden kannst, die es Dir unmöglich machen, Liebe zu empfangen. Wenn es Dir hilft, laß den Tränen freien Lauf, um den Schmerz des Lebens zu beweinen. Ist Dein Empfinden erst tief genug, wird sich Dein Herz gewaltsam auftun. In solchen Augenblikken mußt Du Deine ganze Aufmerksamkeit der Liebe zu Gott widmen.

Jenseits des Schmerzes ist innige und hingebungsvolle Liebe zu finden. Brennt in Dir das Verlangen, Gott zu finden, und hast Du den Mut dazu, wird Dein Schmerz in Ekstase umschlagen, wenn Du dem Göttlichen gegenüberstehst. Dies kann dann der Fall sein, wenn eine Welle von Transformationsenergie Deinen Körper erfaßt. Diese heiße Energie durchströmt Dich und brennt alles nieder, was dem Fluß der Liebe in Dir im Wege steht. Gibst Du Dich dieser Energie völlig hin, so tanzt Dein Körper vielleicht sogar voller Verzückung; es kann sein, daß Kopf und Körper sich wiegend hin- und herbewegen, daß Du mit den Hüften schwingen willst oder daß Dein Körper von heftigen Zuckungen erfaßt wird.

Dabei mag es so scheinen, als wäre zuviel Energie vorhanden, und Du weißt vielleicht nicht, wie du Dich verhalten sollst. Habe keine Angst. Du mußt wissen, daß diese Energie etwas Positives ist. Konzentriere Deine ganzen Gefühle und Gedanken auf Gott und ersuche ihn darum, Dich mit Liebe auszufüllen. Flehe ihn an, als hinge Dein Leben davon ab. Fordere Gott auf, Dir den Göttlichen Geist zu offenbaren, und es wird geschehen!

Die größte Energiequelle stellt freilich die Liebe dar. Lasse Dir an einem ungestörten Ort die Macht von Wut, Angst und Unmut demonstrieren und versuche, weiter an ihnen zu arbeiten, bis sie sich in Liebe verwandeln. Wenn sich Dein Herz Gott öffnet, wirst Du Dich von Deiner Furcht erlöst fühlen. Du wirst eine ganz neue Erfahrungsebene von Eigenliebe entdecken. Deine Beziehungen werden an unermeßlicher Tiefe gewinnen. Bei vielen wirst Du die Liebe aus den Augen und dem Herzen sprechen sehen. Eine Woge des Mitgefühls wird Dich von der Seele ausgehend erfassen, wenn Du dann die Wünsche, den Kummer und die Sehnsüchte all derer, mit denen Du zusammenkommst, selbst verspürst. In diesem Augenblick wird Dir bewußt werden, wieviele Engel hier auf Erden wandeln, und wie sehr wir einander brauchen, um den Heimweg anzutreten. Nur die Liebe zählt!

Musik: Patrick Bernhardt: das Album *Atlantis Angelis*
Puccini: „Nessun Dorma!" aus *Turandot* (Pavarottis Album *Amore*)

Michael Bolton: „Love Is A Wonderful Thing“ aus dem Album *Time, Love & Tenderness*
Anita Baker: „Sweet Love“ aus dem Album *Rapture*
John Denver: „My Sweet Lady“
Merlin's Magic: „Herz-Chakra“ aus dem Album *Chakra Meditation*
Merlin's Magic: das Album *The Spirit of Capricorn*
Merlin's Magic: das Album *The Spirit of Cancer*

14

Soqed Hozi

PARTNERSCHAFT

Und liebst du Gott gar wie er dich!
Frohlocke im Gedanken,
daß Gott, der Geist, wiewohl umsorgt von seinen Engeln,
hat sich dein Herz zum Tempel auserkoren.
John Donne, *Divine Poems XV*

Soqed Hozi wacht über die göttlichen Waagschalen und stellt in unserem Leben mit Hilfe unserer Partner das Gleichgewicht von Empfinden und Wahrheit her. In einer engen Beziehung zwischen zwei Menschen, die sich der Liebe verpflichtet fühlen, entwickelt sich eine ganz eigene Dynamik. Findet man schließlich den einen Seelenverwandten, dann kann die Beziehung unwahrscheinlich erhebend, bejahend und erfüllend sein. Jeden Tag gilt es zu feiern, ist er gar schöner als der Tag zuvor. Da lodert das Feuer der Leidenschaft, die völlig frei ist von der Kleinlichkeit vieler karmischer Beziehungen. Du empfindest eine Synergie, die ein Zusammenspiel Deiner Gefühle, kreativen Gedanken und schöpferischen Fähigkeiten zuläßt, das weit über das hinausgeht, was Du auf Dich gestellt für möglich hieltest. Eine so innige Liebe kann Dich in den düstersten Momenten Deines Lebens auffangen und die Freude über das Erreichte hundertfach verstärken. In euch beiden vollzieht sich eine Wandlung durch diese allumfassende Liebe, die alte Überzeugungen und Anschauungen einfach dahinschmelzen läßt, so daß neue Einsichten und nie gekanntes Verständnis an ihre Stelle treten können. Geht ihr den Bund der Ehe miteinander ein, hebt die feierliche Stimmung einfach den Zustand der Abgrenzung und Beschränkung durch die Materie auf und läßt die Liebe ihren Triumphzug durch den Kosmos antreten!

Bisweilen kann auch eine Geschäftsbeziehung oder Freundschaft jene Intimität erreichen, die das Interesse Soqed Hozis erst erweckt. Funktioniert das Zusammenspiel der Kräfte in einer Geschäftsbeziehung, so öffnet sich das Himmelstor, und eine unerschöpfliche Fülle vielversprechender Ideen und Projekte fällt nur so vom Himmel. Sei einfach offen für eine solche Inspiration und schreite dann zur Tat! Freundschaften, denen dieses Merkmal zueigen ist, sind ein seltenes Geschenk, und man sollte sorgsam mit ihnen umgehen und sie genießen, während man sich dem anderen öffnet. Den Rückhalt und die Integrität einer tiefen und sinnerfüllten Freundschaft sollte man nicht unterschätzen.

In einer geweihten Beziehung ist Dein Partner auch Dein Weggefährte auf dem Pfad der Selbstfindung; er ist Dein bester Freund, Liebhaber und Spielkamerad; jemand, dem Du vertraust und der Dich umsorgt. Dabei wird der Wahrheit und dem Vertrauen allerhöchste Bedeutung zugemessen, und beides braucht Zeit zum Reifen – selbst unter besten Bedingungen. Solange zwei Menschen mit eigenem Willen aufeinandertreffen, sind Konflikte unvermeidbar. Aber Konflikte können zu besserem Verständnis führen und als Wachstumsimpulse gesehen werden; sie müssen also nicht zwangsweise ein Eigenleben entwickeln und die Oberhand behalten. Jeder Partner hat das Recht, die Wahrheit zu sagen und seinem Herzen Luft zu machen, wenn er verärgert oder verletzt ist, sich schämt oder voll der Liebe ist. Vertrauen kann dann wachsen, wenn immer wieder die Erfahrung gemacht wird, daß sich jeder Partner die Position des anderen voller Respekt anhört. Beide verpflichten sich, in der Liebe die Wahrheit zu suchen und die Furcht zu überwinden, der andere könnte plötzlich keine Liebe mehr empfinden oder gar aus der Beziehung ausbrechen; dies kann man erreichen, indem man die wahren Gefühle und Wünsche miteinander teilt. Ein Gefühl der Ganzheit zu entwickeln ist für die meisten Menschen erst möglich, wenn sie in der Liebe den richtigen Partner gefunden haben.

Unterdrückte Gefühle können Unterströmungen verursachen, die einen Keil zwischen die Partner treiben; und diese treten meist in Konfliktsituation zutage, um das Mißverständnis komplett zu machen. Es ist ungerecht, alles aufzutischen, was in der Vergangenheit schiefgelaufen ist. Das Ziel muß stets ein von beiden zu vertretender Kompromiß sein. Dein Bewußtseinsstand wird sich wesentlich erhöhen, wenn Dir erst einmal auch die unterschwelligeren Mittel und Wege auffallen, mit denen Du Dich und andere manipulierst. Und das betrifft auch Deine Vorstellung davon, wie sich Dein Partner verhalten und auf Dich reagieren sollte.

In einer engen Beziehung treten all Deine brennendsten Fragen zutage. Überdenke Deine Situation einmal. War Deine Erfahrung von Synergie geprägt oder fühlst Du Dich ausgelaugt? Fühlst Du Dich eingesperrt oder frei? Dieses Gefühl hat oftmals nichts mit dem anderen zu tun, sondern stellt vielmehr nur das Ergebnis Deiner momentan vorherrschenden Anschauungen dar. Ist Dein Partner besitzergreifend? Hast Du ein schlechtes Gewissen, weil Du Deinen eigenen Freundeskreis und eigene Interessen hast? Mußt Du bestimmte Aktivitäten vor dem anderen verbergen? Hast Du Angst vor Deinem Partner? Manipuliert oder dominiert einer von euch den anderen? Gibt Dir die Beziehung Kraft? Bist Du ein gleichberechtigter Partner?

Mit fortschreitendem Heilungs- und Transformationsprozeß werden sich Deine Bedürfnisse und Wünsche verändern. Nur mit einem offenen Herzen und einem ebensolchen Geist wirst Du genug Raum schaffen, damit ihr beide an der Beziehung wachsen könnt. Mache Dir das kostbare Pflänzchen Intimität zunutze, um

Deine Anliegen offenzulegen. Kommt es zu einem Konflikt, so sei dankbar und nimm ihn, um die alten Vorurteile und Überzeugungen zusammen mit den eingesperrten Gefühlen über Bord zu werfen, während Du gleichzeitig nach Möglichkeiten suchst, voller Liebe und Mitgefühl wieder eins mit ihm zu werden. Wirst Du mit einem liebenden Auge beobachtet, so nutze die Gelegenheit zu einem leisen Sinneswandel. Egal wie, alles dient letztendlich nur dazu, mit Deinem Partner zu größerem Verständnis und mehr Wahrheit heranzuwachsen.

Bitte Soqed Hozi, Dir Einsicht und Mut zuteil werden zu lassen, damit Du die Kraft hast, schwierige Entscheidungen hinsichtlich Deiner Zukunft mit diesem Menschen treffen zu können. Bist Du der Meinung, eine Vereinigung in Liebe sei nicht länger möglich, und Du entschließt Dich zu einer Trennung, dann bitte um Hilfe, damit Du den richtigen Zeitpunkt findest und genügend Verständnis dafür aufbringst, das Beste für alle Beteiligten zu wollen. Hast Du Schwierigkeiten, eine Beziehung zu beenden, verschaffe Dir Erleichterung, indem Du in Deiner Gedanken- und Gefühlswelt aufräumst. Bist Du schmerz- oder haßerfüllt, so gestehe Dir das einfach ein, ohne Dich dessen zu schämen, und ersuche Gott und Soqed Hozi, sie mögen Deine Empfindungen in Mitgefühl und Verständnis umwandeln. Du mußt nicht unbedingt derselben Meinung sein, um etwas akzeptieren zu können. Bitte stets um noch mehr Liebe für eine erfüllte Beziehung. Lade Soqed Hozi ein, Dich zu inspirieren und Dir Energie zukommen zu lassen.

Musik: John Astin: „Dance of the One" aus *Remembrance*
Joe Cocker: „You are so Beautiful"
Anita Baker: „Same Ole Love" aus dem Album *Rapture*
Bryan Adams: „(Everything I Do) I Do it for You" aus dem Album *Robin Hood, Prince of Thieves*
Michael Bolton: „Forever Isn't Long Enough" und „Now That I've Found You" aus dem Album *Time, Love & Tenderness*
Kenny Loggins: „Sweet Reunion" aus dem Album *Leap of Faith*

15

Paschar

VISION

Man sieht nur mit dem Herzen gut,
das Wesentliche ist für die Augen unsichtbar.
Antoine de Saint-Exupéry,
Der Kleine Prinz

Paschar wacht über den Schleier, der zwischen unserer Welt und dem Himmelreich liegt, zwischen dem Bewußten und Unbewußten, zwischen Bewußtmachung und Illusion. Paschar erkennt die Schönheit, die die Visionen in Gottes Herzen bergen und projiziert diese Visionen zum Zweck der Manifestation in unsere Bewußtseinsebenen. Dabei können wir unter verschiedenen Visionen wählen – unter denen unseres niederen Ichs, jenen aus dem Astralreich und den Visionen Gottes. Es heißt, „der Herr hätte seine Augen überall". Die wahre Vision offenbart den Göttlichen Plan und stellt die Essenz aller Dinge schlechthin dar. Mittels Visionen nimmt das niedere Ich Kontakt mit dem Ewigen Ich auf, um Kenntnis der göttlichen Vorstellungen zu erlangen.

Eine Vision kann zweierlei Gestalt annehmen. Die erste besteht darin, daß Du einen Wunsch, den Du verwirklichen willst, visualisierst; im anderen Fall bist Du bei allem, was Dir widerfährt, auf der Suche nach der Vision der Vollkommenheit. Betrachtest Du andere Menschen, so überlege Dir, wie Gottes Vision von ihnen aussehen könnte. Wird Dir eine Vorstellung zuteil, so versuche herauszufinden, inwiefern sie eine Brücke zu Gott darstellt. Befindest du Dich im Angesicht von Schönheit oder liest darüber, blicke dem Schöpfer mitten ins Herz, um die Vision Gottes empfinden zu können.

Gefühlsballast kann sich wie ein Schleier zwischen Dein Bewußtsein und wahre Vision legen. Vorgefaßte Meinungen und Vorstellungen, „wie das Leben so spielt" und „wie sich die Lage der

Dinge darstellt", machen Dich blind gegenüber der Wahrheit. Alte Wunden können plötzlich wieder aufbrechen und Deine Anstrengungen vereiteln, Dein Leben zum Besseren zu wenden. Es steht allein in Deiner Macht, Deine Illusionen zutage zu fördern und Deine wahre Vision zu enthüllen.

Das Feuer der Manifestation wird durch die „Macht der Gefühle" angefacht. Wirst Du eins mit der ausgereiften Vorstellung Deines Göttlichen Plans, so rufst Du das Licht Gottes auf den Plan, um die Vision, die Du *siehst* und *spürst*, auf die Ebene der Manifestation zu erheben. Du kannst beruhigt loslassen, denn tief in Deinem Inneren weißt Du, daß hinter Deiner Vision allein Gottes Wunsch steht, daß Gottes Weisheit Dein Tun lenkt und sich in allem Gottes Liebe offenbart. Überantworte Gott Deine Wünsche und gestehe Deiner Schöpfung die Zeit zu, die sie zu ihrer Entfaltung bedarf. In dem Augenblick, in dem Du mit irgendwelchen Manipulationen versuchst, die Kontrolle zu übernehmen, oder Dich negativen Gedanken, Zweifeln und Ängsten hingibst, entreißt Du Gott Deine Vision und neutralisierst die ganze Entwicklung.

Zweifel und Ängste sind natürlicher Bestandteil menschlichen Lebens, also mache sie Dir bewußt und frage Dich, ob sie ein Fünkchen Wahrheit bergen. Wenn irgend etwas nicht in Ordnung ist, können Zweifel wunderbare Frühwarnsysteme sein, und in dem Fall solltest Du sofort einschreiten und Deinen Schöpfungsprozeß neu ausrichten, damit er keine Rückschritte macht, sondern sich kontinuierlich weiterentwickelt. In anderen Situationen hingegen sind Zweifel und Ängste Teil einer früheren Einstellung, die nach Mitteln und Wegen sucht, Deine Bemühungen zu durchkreuzen. Sollte dies zutreffen, dann versuche Deinen Gefühlen auf den Grund zu gehen, um die Wurzel allen Übels auf jede nur erdenkliche Weise zu beseitigen. Um wieder auf den rechten Weg zu gelangen, bedarfst Du vielleicht tiefgehender emotionaler Freisetzung, vielleicht aber auch nur der Bewußtmachung.

Du kannst Deine Fähigkeiten zur Visualisierung verbessern und damit indirekt Deine Fähigkeit, Deine Visionen in der physischen Welt zu manifestieren. Bevor Du Dich irgendeiner noch so unbedeutenden Aufgabe widmest, werde Dir über ihre Vision der Vollkommenheit klar. Selbst profane Tätigkeiten oder monotone Arbeiten können diese Vision bergen. Von einem blitzsauber glänzenden Haus und erfolgreich geleisteter Arbeit geht spürbar Energie aus. Um am Schöpfungsakt Gottes teilhaben zu dürfen, peile wenn möglich das Höchstmaß an Willenskraft, Energiepotential und visionärer Vorstellungskraft an. Dies ist ein lebenslanger Entwicklungsprozeß, den Du täglich intensivieren kannst. Fühlst Du Dich in einer Vision gefangen, die Dir nicht behagt, so ersuche Paschar, er möge Dir helfen, mit Gottes Augen zu sehen.

Musik: Palestrina: das Album *Missa: Hodie Christus Natus Est*
Merlin's Magic: „Stirn-Chakra" aus dem Album *Chakra Meditation*

16
DER SCHUTZENGEL

Wir sind wohl frei – wenn auch in Grenzen;
und doch, da ist ein Arm – noch nie gesehen;
ein Engel, der uns leitet und einer Antriebsfeder gleich
den Weg voran uns schreiten läßt.
Rabindranath Tagore

Auf einen jeden von uns haben Schutzgeister ihr wachsames Auge gerichtet. Wird der Wunsch, spirituell zu wachsen und zu Diensten sein zu dürfen, in Deinem Leben übermächtig, so wird Dein persönlicher Schutzengel auf Dich aufmerksam und Dir zur Seite gestellt. Da sie die spirituelle Mutter Deiner Seele ist, hält sie die Skizze Deiner Perfektion in Händen und ist von dem Wissen erfüllt, wie Du Dich am besten weiterentwickeln kannst. Ihr obliegt es, die Feinarbeit zu leisten, um die innere Verbindung zu Deinem Höheren Bewußtsein herzustellen; und sie behält auch das Gleichgewicht zwischen den verschiedenen Chakren oder Energiezentren Deines Körpers im Auge. Dein Schutzengel wacht über Dich und sendet Dir Eingebungen. Fichtst Du Kämpfe zwischen Deinen höheren und niederen Entwicklungsstufen aus, so läßt sie Dir Einsichten zuteil werden und bietet Anreize zu freiwilligen Veränderungen. Zwar kann sie Deinen eigenen Willen nicht ändern, aber es ist ihr möglich, in Form von neuen Interessen oder Freunden auf Dich einzuwirken, die Dir in Phasen unangenehmen oder unklugen Verhaltens zur Seite stehen. Sie ist länger Dein Wegbegleiter als irgendein anderer Engel und gibt sich ganz der Aufgabe hin, Dich auf Deinem Pfad immer wieder zu ermutigen und bestärken.

Als Wegbereiter Deiner spirituellen Entwicklung stellt Dein Schutzengel Dich vor unzählige Herausforderungen. Schwierige Zeiten sind ein Zeichen dafür, daß sie ihre Arbeit gerade sehr ernst nimmt und in Dir eine Veränderung herbeizuführen versucht. Wenn irgendwelche Verhaltensmuster oder Überzeugungen Dir beim Erklimmen der nächsten Stufe Deiner Entwicklung hinderlich sind und Du nicht imstande bist, Dich ganz bewußt davon freizumachen, so hilft sie Dir, unangenehme und ungewollte Situationen zu meistern, indem sie Dein Leid lindert. Sobald irgendwelche Zweifel Dir im Wege stehen, Hilfe zu empfangen, mußt Du darauf vertrauen, daß Dir ihre liebende Antwort gewiß ist. Betrachte Deinen Schutzengel als Freund und Wegbegleiter, nicht als irgendein unvorstellbar mächtiges Wesen aus unerreichbaren Sphären. Sie wandelt stets an Deiner Seite, leitet Dich in Liebe und greift Dir helfend unter die Arme. Sie kennt Dich so gut, daß sie für Dich da ist, noch bevor Du Dich überhaupt mit dem Gedanken trägst, sie anzurufen.

Engel bedienen sich beim Sprechen nicht ihrer Stimmbänder – sie kennen vielmehr unsere Gedanken und kommunizieren mit Hilfe von Gefühlen, die sie auf die Reise von Herz zu Herz schikken. Da nichts vor dem anderen geheimgehalten oder verborgen wird, kann die Beziehung zu einem Schutzengel sich weitaus inniger entwickeln als dies in den meisten freundschaftlichen Beziehungen unter Menschen überhaupt möglich ist. Die Menschen bedürfen normalerweise der Sprache zur Kommunikation, obwohl diese oft nicht in der Lage ist, die tiefgehenden und vielschichtigen Empfindungen zu vermitteln, die wir zu teilen gedenken. Dein Schutzengel konzentriert sich ganz auf diese Gefühle und antwortet mit hingebungsvoller Liebe. Macht man sich bewußt, daß sie allwissend ist, dann kann dies als Inspiration wirken, Vorurteile fallenzulassen und allzu kritische Standpunkte aufzugeben. Damit wird Platz geschaffen, um spontan so auf das Leben reagieren zu können, wie es die wahren Gefühle gebieten.

Halte Zwiesprache mit Deinem Schutzengel. Frage sie nach ihrem Namen und präge Dir dann ihre Worte der Erkenntnis gut ein. Achte einmal auf die Art und Weise, wie sie ihre Gegenwart ankündigt – durch einen Duft, eine Empfindung, einen Laut oder ein farbenprächtiges Symbol. Bisweilen nehmen die Schutzengel völlig unerwartet Menschengestalt an, um uns aus einer gefährlichen Situation zu erretten. Weitaus öfter kommt es jedoch vor, daß ihre Führung so unaufdringlich ist, daß wir sie nicht einmal bemerken. Sei bereit, Deine Liebe und Dankbarkeit mit Deinem ganz persönlichen Engel zu teilen, wenn sie danach trachtet, Dir hehrere Ziele zu setzen und Dir Geduld und Mut einzuhauchen.

Musik: Anita Baker: „Caught up in the Rapture"
aus dem Album *Rapture*
Aeoliah: das Album *Angel Love*
Merlin's Magic: „Hals-Chakra" aus dem Album
Chakra Meditation

Ooniemme

DANKBARKEIT

Sondern gedenke an ihn in allen deinen Wegen,
so wird er dich recht führen
Sprüche 3:6

Bitte Ooniemme an Deine Seite, damit Dein Geist sich erheben kann in dem wunderschönen Gefühl der Dankbarkeit! Dankbarkeit erweitert und öffnet das Bewußtsein, damit es zu empfangen imstande ist. Jeder Gedanke und jede Empfindung schlägt sich unverkennbar in Deinem Körper und in den Ereignissen nieder, die Dir widerfahren. Bist Du Deinem Körper und all seinen Bestandteilen zutiefst dankbar, so wirst Du von Gesundheit umgeben sein. Und warum solltest Du Dich nicht dafür entscheiden, Dich ganz darauf zu konzentrieren, Dein Ewiges Ich durch Dankbarkeit zu vervollkommnen. Kann man die drei Göttlichen Prinzipien – Liebe, Hingabe, Dankbarkeit – einmal in ihrer ganzen Intensität am eigenen Leib erfahren, so treiben sie den Heilungsprozeß unerschütterlich voran.

Nimm Dir jeden Tag die Zeit, Gott zu danken, denn er ist der Ursprung alles Guten und Vollkommenen. Jeden Morgen solltest Du Gott danken für Dein Leben und dann den Tag über bereit sein, dem Willen Gottes in all Deinem Tun und Schaffen Ausdruck zu verleihen. Vor dem Einschlafen kannst Du den Tag noch einmal vor Deinem geistigen Auge Revue passieren lassen. Danke dem Geist für alles, womit Du gesegnet bist, die Augenblicke des Glücks und des Erfolgs; für die Menschen, die Dich lieben, und die Schönheit, der Du teilhaftig werden durftest. Überdenke noch einmal die Situationen, die Dich mit Unbehagen, Zorn, Furcht oder Besorgnis erfüllt haben. Danke dafür, daß sie Dir bewußt geworden sind und versuche herauszufinden, welche Botschaft sie Dir vermitteln wollen. Ersuche Ooniemme, er möge Dir die Augen öffnen und schöpferische und Lösungen zum Besseren offenbaren. Laß dann los und vertraue darauf, daß Dein Ruf erhört wird.

Empfindest Du eher Unmut als Dankbarkeit? Wenn Du Deine wahren Gefühle unterdrückst und Dich dazu zwingst, Dich so zu verhalten, als empfändest Du anders, so wird Dir die Wahrheit entgleiten und Lügen oder Illusionen anheimfallen. Wir neigen meist weit öfter dazu, als wir uns zugestehen würden, indem wir nämlich ein Gefühl, das uns unannehmbar erscheint, durch ein anderes ersetzen. Setzt Du ein Lächeln auf und gaukelst Glückseligkeit vor, wenn es Dir in Wirklichkeit erbärmlich geht? Anstatt überängstlich unangenehmen Empfindungen aus dem Weg zu gehen, solltest Du in sie eintauchen und gleichzeitig Gott um Liebe und Wahrheit ersuchen. Wenn Du Dich Deinem Unmut stellst, wird sich Dein Herz weit eher dem seligen Freudentaumel tief empfundener Dankbarkeit öffnen.

Achte im Tagesverlauf auf die kleinen Dinge des Lebens, für die Du voller Freude dankbar sein mußt – für Dein Essen, einen Parkplatz, eine grüne Ampel, für Güte – schlicht für alles! Danke Mutter Natur dafür, daß sie uns hübsche Blumen und Sonnenschein beschert. Höre Dir ekstatische Musik an, wie etwa Händels „Hallelujah-Chor". Laß Dich als Dank an Deinen Körper ruhig einmal ein bißchen verwöhnen. Kleide Dich so, daß Du Dich wohl fühlst, beschwingt und attraktiv. Trage Dein Lieblingsparfum oder Eau de Cologne auf und lasse Deine Gedanken um die Engel kreisen.

Musik: Händel: „Hallelujah-Chor" aus dem *Messias*
Silent Thunder: „Sun and Sea Suite" aus dem Album *Sun Suite*
Merlin's Magic: das Album *The Spirit of Capricorn*
Merlin's Magic: „Hals-Chakra" aus dem Album *Chakra Meditation*

Die zweite Ordnung – Manifestationsengel

18

Jamaerah

MANIFESTATION

Und Gott sprach: Es werde Licht! und es ward Licht.
Genesis 1:3

Jamaerah schafft den Raum, den Deine Vision zu ihrer Manifestation braucht. Diese Entwicklung setzt auf der Stufe der feinstofflichen Materie ein, also der Elektronen- Leuchtsubstanz, die die liebende Energie des Ewigen birgt. Die Macht des Verlangens versetzt diese Lichtsubstanz in eine kreisende Bewegung, wodurch eine kreisförmige Struktur oder Vortex gebildet wird. Diese Strudel beginnen sich zu verdichten, wenn sie von Paschar als Vision empfangen, mit scharfen Konturen versehen und projiziert werden. Jamaerah sorgt für die Beschleunigung der Vortex und schafft Raum, damit die magnetische Anziehungskraft der Materie zu wirken beginnen kann. Sobald irgendwo Materie vorhanden ist, tritt auch die Anziehungskraft oder Schwerkraft auf. Gibt es erst einmal Raum und Materie, so kann man auch von „vorher" und „nachher" sprechen, da nun die Zeit einsetzt. Galgaliel obliegt es dann, das Ganze mit dem Empfinden und der Tiefe auszukleiden, die dieser Schöpfung Leben einhauchen werden. Bis die Materie die Erde in Form temporeich umherwirbelnder Atome erreicht, setzt sich der Prozeß der Anreicherung und magnetischen Anziehung fort. Das hat zur Folge, daß wir uns den Engeln, die der Schöpfung schließlich ihren Segen zuteil werden lassen, so eng verbunden fühlen. Die Atome eines jeden Gegenstandes, den wir berühren, sind die verdichtete Essenz des Ewigen.

Das Atom ist ein lebendes Wesen – erstanden aus der Liebe. Destruktive Gedanken und zwieträchtige Gefühle können das Zahlenverhältnis und die Geschwindigkeit atomarer Teilchen verändern, so daß Krankheiten auftreten und der Prozeß des Alterns einsetzt. Positive, der Liebe und Harmonie gewidmete Aktivitäten führen das richtige Zahlenverhältnis und die richtige Geschwindigkeit herbei. Mit Hilfe Deiner Gedanken und Gefühle kannst Du ganz bewußt Kontrolle im Sinne der Heilung ausüben und Deinen Körper zu einem Tempel der Gesundheit und Lebenskraft werden lassen.

Das Verlangen ruft die Visionen herbei, die Gott manifestieren möchte, und es ist ihnen zuträglich, wenn sie ihre Reise durch die Himmelssphären antreten, um auf ihrem Weg an Substanz zu gewinnen. Überlege Dir gut, was Du eigentlich manifestieren möchtest. Bemühe Dich, selbst auferlegte Beschränkungen zu durchbrechen, und umgehe die übernatürlichen Bereiche Chaos und Wirrwarr. Konzentriere Dich darauf, Gottes Visionen zu empfangen, die Dich Schritt für Schritt der Erfüllung Deines Göttlichen Planes näherbringen werden. Dank der segensreichen Hilfe Jamaerahs steht es in Deiner Macht, das Sehnen Deines Herzens zu manifestieren. Entscheide Dich dafür, aus der Liebe das zu schaffen, was für Dich und die anderen einen Segen bedeutet.

Musik: Robert Grass: das Album *Om Nama Shivaya*
Kevin Braheny: das Album *The Journey Home*
Tänzers Traum: „Nachtflug“ aus dem Album *Nachtflug*

19

Raziel

WISSEN

Unterworfen ist alle Materie in der Natur
und alle Ratio im Leben –
dem Willen der himmlischen Heerscharen,
die auf so demütige Weise eins sich fühlen mit Gott
und Ihm in ihrer ganzen Seligkeit zu Diensten sind.
Der Heilige Augustin

Der Name Raziel bedeutet soviel wie „In Gott finde ich meine Freude". Die hebräische Tradition will es, daß Adam bald nach seiner Vertreibung aus dem Paradies krank darniederlag. Daraufhin gab Raziel Adam ein Buch, in dem alle Heilkräuter aufgeführt waren, die jede nur erdenkliche Krankheit heilen konnten. Siehst Du nun, wie sehr wir geliebt werden? Das Heilmittel war schon vor der Krankheit da! Dadurch wird deutlich, daß Wissen, Fürsorge und Gesundheit die Ziele jeder Schöpfung sind. Raziel inspiriert uns dazu, im Wissen um Gott Freude zu empfinden.

Raziel ist sehr eng mit uns verbunden und vermittelt uns stets dann das nötige Wissen, wenn wir auf unserem spirituellen Pfad auf geheimnisvolle und unerklärliche Dinge stoßen. Das beginnt mit dem Erklärungsversuch für irgendeine Krankheit, an der man leidet, oder für ein selbstzerstörerisches Verhalten, das man an den Tag legt, und reicht bis hin zu dem Verlangen, Zugang zu den universellen Wahrheiten zu erhalten und Verständnis dafür zu entwikkeln.

Die Allwissenheit Gottes kennt keine Grenzen. Der Geist kennt uns alle so, wie wir wirklich sind; und da er das Oberste Bewußtsein ist, kennt er wahrhaftig die Zahl der Sterne und Planeten im Weltenraum. Das Wissen und Verständnis der Menschen ist relativ und hängt von Erfahrungen und Lernprozessen ab. Selbst Fakten, die kaum angezweifelt werden, müssen neuen Realitäten weichen, auf die wir dank unseres fortschreitenden naturwissenschaftlichen Verständnisses stoßen. So ging man früher etwa davon aus, daß die Erde eine Scheibe sei und den Mittelpunkt des Universums bilde. Unser Wissensfluß kann durch unsere Überzeugungen eingedämmt werden, wenn sie starre Energiestrukturen schaffen, die alles ausfiltern oder kritisieren, was sich nicht mit unseren Überzeugungen vereinbaren läßt. Das bedeutet, daß wir die Wahrheit und einen Teil unserer selbst verleugnen; und der dadurch entstandene Konflikt legt sich auf unser inneres Ohr. Greife auf Deine Selbsterfahrung und die Erkenntnisse Deines Lebens zurück, um überkommene Überzeugungen zu entlarven. Habe den Mut, der Ursache auf den Grund zu gehen, damit Du von einer tiefen Emotionsebene aus loslassen kannst.

Die Essener widmeten sich in ihren Studien ganz dem Universalwissen. Sie vervollkommneten eine einzigartige Lehrmethode, die uns vermittelt, uns der Quelle des Universalwissens zu öffnen, anstatt das Gedächtnis mit immer neuen Fakten zu füttern. Die Essener verbanden drei anerkannte Bahnen, um den einen unvergänglichen und unveränderlichen Quell im Menschen selbst zu entdecken. Die erste ist die Bahn der Intuition, die die Propheten und Mystiker unter der Führung Zagzagels und Amitiels einschlugen. Die zweite ist die Bahn der Natur, also der Standpunkt, den die Naturwissenschaftler im Gefolge Ariels und Jamaerahs vertraten. Die dritte ist die Bahn der Kultur, also die Wertschätzung der Literatur und schönen Künste, wie sie von Iofiel, Jophiel und Israfel vermittelt wird.

Stütze Dich auf Deine Intuition, wenn Du Dich am Höheren Bewußtsein orientierst, das hinter einer jeden Lehre steckt, die Dich möglicherweise anspricht. Sperre Dich nicht dagegen, daß der Bedeutungsgehalt und das Empfinden in Deinem Körper und Geist mächtige Schwingungen auslösen. Lasse zu, daß diese Schwingung Dein Herz öffnet, damit Du des Wissens, der Harmonie und Wahrheit unmittelbar teilhaftig wirst, die für Dein volles Erwachen vonnöten sind. Sei nicht untätig, wenn Du bei der Schöpfung Deinen Platz an der Seite Gottes einnimmst.

Mache Dir einmal Gedanken über das Wissen, das Du Dir angeeignet hast – seien es berufliche Fähigkeiten, Schulbildung, im Rahmen der Ausbildung, bei der Ausübung von Hobbys oder im Zusammenhang mit Dingen, die Dir am Herzen liegen. Sie alle bereiten Dich auf Deinen Göttlichen Plan vor. Ersuche Raziel, er möge Dich mit Musik, Lyrik, eigenständigen Ideen und reinen Gedanken inspirieren, wenn Du Deine Bestimmung wie ein Mosaik Stück für Stück zusammensetzt. Es hängt ganz allein von Dir ab, wie Du diese Inspiration einsetzt und die Weisheit nutzt, um Deinen Teil an dem übergeordneten Plan für diese unsere Erde beizutragen.

Musik: Steve Halpern: das Album *The Forgotten Song*
Rob Whitesides-Woo: das Album *From Heart to Crown*
Singh Kaur und Kim Robertson: das Album *Guru Ram Das/Crimson Vol.I*
Robert Gass: das Album *Hara Hara*

20

Ongkanon

KOMMUNIKATION

Und der Engel sprach zu ihnen:
Fürchtet euch nicht! siehe ich verkündige euch große Freude,
die allem Volk widerfahren wird;
Lukas 2:10

Ongkanon ist der Bote Gottes, der Dir Liebe und Geleit zuteil werden läßt, wenn Du auf Deinem Weg in die Heimat voranschreitest. Rufe Ongkanon oft an, damit er den Schleier der Illusion von Dir nimmt und Dich mit Deinem Ewigen Ich verbindet.

Ohne Worte kommunizieren die Engel auf Seelenebene miteinander. Ihre tiefen Empfindungen werden telepathisch weitergeleitet, so daß Mißverständnisse ausgeschlossen sind. Die Menschen haben eine verbale Kommunikationsform entwickelt, die Täuschungen, Fehlinterpretationen und Mutmaßungen geradezu Tür und Tor öffnet. Um das ganze noch komplizierter zu machen, ist den meisten von uns beigebracht worden, daß es unklug ist, unsere *wahren Gefühle* zu offenbaren. Was fürchtest Du offenzulegen? Warum fürchtest Du es? Du mußt Dich darum bemühen, in Deinen Beziehungen zu liebevoller, aber schonungsloser Ehrlichkeit zu gelangen. Wenn Du tief in Deine Gefühle eintauchst, um die Wahrheit an den Tag zu fördern, dann setzt Du damit eine Woge der Liebe und des Verständnisses frei.

Ongkanon kann Dir in Fragen der Kommunikation äußerst hilfreich zur Seite stehen, wenn Du nur darum bittest. Du mußt dann auf Einsichten achten, die Dir bezüglich Deiner eigenen Gefühle vermittelt werden, und auf die Lektionen, die Dir hinsichtlich Deiner Beziehungen zu anderen Menschen erteilt wrden. Hegst Du anderen gegenüber Gefühle – Liebe etwa, Verärgerung, Groll oder Unbehagen –, dann bitte darum, Du mögest die übergeordnete Bedeutung Deines Kontaktes mit diesen Menschen verstehen lernen. Ist diese Beziehung von Schwierigkeiten gekennzeichnet oder ist sie karmischer Natur, strebe Heilung und Vergebung an. Es ist nicht nötig, jedermann zu mögen; ein Gefühl des Unbehagens könnte ein wichtiges Alarmsignal sein, daß dieser Mensch eben nicht für Dich gedacht ist. Ist die Beziehung eine freudvolle, so gib Dich ganz der Glückseligkeit hin!

Bitte Ongkanon darum, die Kommunikation mit Deiner Familie durch Liebe und Frieden zu verbessern. Ihr müßt Mittel und Wege finden, das begreifen zu lernen, was eucht trennt, während ihr gleichzeitig alles dransetzen solltet, um das schätzen zu lernen, was euch verbindet. Es ist unser aller Verlangen, einfach nur geliebt zu werden. Schreibe dem Schutzengel eines jeden, der Dir Schwierigkeiten bereitet, einen Brief und erbitte für alle Beteiligten das Beste.

Das, was Du Dich scheust, auszusprechen, liefert einen Hinweis darauf, wo Du noch an Dir arbeiten mußt. Widerstrebt es Dir oder gelingt es Dir nicht, anderen mitzuteilen, was Du empfindest, wenn es soweit ist? Bist Du Dir überhaupt selbst bewußt, was Du empfindest? Fürchtest Du ihre Reaktion? Wirst Du plötzlich zu Stein und kannst Dich nicht mitteilen? Explodierst Du voller Zorn? Kannst Du darauf vertrauen, daß andere Deine Gefühle respektieren? Versuchst Du, anderen um jeden Preis zu gefallen? Vielleicht könntest Du Dich einfach erklären und sie würden Dir mit offenem Herzen zuhören – ihre Reaktion wäre gar von Liebe gekennzeichnet! Allumfassende Beziehungen, die sich durch das stetige Streben nach wahrer und inniger Kommunikation auszeichnen, sind seltene Gaben der Liebe. Die Furcht und der Ärger, das mangelnde Vertrauen ebenso wie die Wunden, die eine Beziehung so mit sich bringt, spiegeln lediglich innerste Empfindungen wider. Deine Bereitschaft, auch die dunklen Seiten Deines Ichs zu erforschen und das von Herzen zu empfinden, was Du am allermeisten fürchtest, um dann in Liebe loszulasssen, wird das Tor zu besseren Beziehungen mit anderen Menschen öffnen.

Strebe in Deiner ganzen Kommunikation stets die Wahrheit an, ungeachtet dessen, ob es sich um so etwas Banales wie eine Geburtstagskarte oder die Vielschichtigkeit einer Ehe handelt. Mache Dir bewußt, was Du als wahr empfindest, versuche dann zu spüren, was andere als wahr empfinden und sucht dann nach Wegen, die einem besseren Verständnis dienen.

Musik: Händel: „Ehre sei Gott" aus dem *Messias*
Merlin's Magic: „Hals-Chakra" aus dem Album *Chakra Meditation*

21

Iofiel

SCHÖNHEIT

O ihr Gläubigen, gedenket Allahs in häufigem Gedenken
und preiset ihn morgens und abends.
Er ist's, der euch segnet, und seine Engel [...]
daß er euch aus den Finsternissen zum Licht führt.
Koran, Dreiunddreißigste Sure 41-43

Iofiel heißt eigentlich „Schönheit Gotttes". Alles Göttliche ist natürlich, schön und unvergänglich. Wahre Schönheit ist immer neu und unvergänglich. Befindest Du Dich mit Deinem Ewigen Ich in Einklang, dann verleihst Du der Harmonie Ausdruck, die das Spiegelbild Gottes in Dir ganz persönlich darstellt.

Die Schönheit Gottes ist in dem undurchdringlichen Dschungel unserer materiellen Welt nur schwer auszumachen. Daher obliegt es Iofiel, Dich Schönheit erstmals in ihrer ganzen Tiefe erleben zu lassen. Wenn Du andere Menschen ansiehst, blicke durch ihre äußere Erscheinung hindurch und versuche, die Verbindung zu ihrer ewigen Wahrheit zu knüpfen. Auf diese Art trägst Du dazu bei, daß sie ihre eigene Wahrheit empfinden und sich nach ihr ausrichten können.

Das Wesen von Kunst, Lyrik, Literatur und Musik ist im Herzen dessen zu finden, der sie erschaffen hat. Worte reichen nicht, Farben fehlt es an Brillianz, Klänge schaffen es nicht, den Schwingungsrhythmus voll wiederzugeben, unsere Körper sind nicht imstande, das ganze Spektrum der Schönheit, das verfügbar wäre, einzufangen oder zu vermitteln. Nur dem Herzen und dem Empfinden ist wahres Verständnis gegeben. Du wirst angenehmen überrascht sein angesichts des reichen Erbes an Schönheit tief in Deinem Inneren, das nur darauf wartet, von Dir entdeckt zu werden!

Fange mit Dir selbst an. Bist Du mit Deinem Aussehen zufrieden oder nicht? Paßt Dir das Wort „Schönheit" nicht so ganz, dann such Dir eines aus, das Dir besser gefällt. Wie sehen Dein Heim aus, Dein Auto, Dein Arbeitsplatz. Welche Empfindungen sind damit verbunden? Deine Umgebung spiegelt Deine Fähigkeit wider, Deiner inneren Schönheit Ausruck zu verleihen. Bist Du nicht länger glücklich damit, dann ist es an der Zeit, Änderungen vorzunehmen. Zuerst mußt Du einmal in Dich gehen, um den Gefühlsballast auszumachen, der verhindert, daß Du die Strahlen Deiner inneren Göttlichkeit aussenden kannst. Rechtfertigst Du ein unattraktives Erscheinungsbild mit der Begründung „Das Aussehen zählt nicht – auf die inneren Werte kommt es an“? Legst Du die Meßlatte unerreichbar hoch und fühlst Dich dann als Versager?

Könnte es andererseits sein, daß die übertriebene Eitelkeit, die Du an den Tag legst, in Wirklichkeit nur Deine Minderwertigkeitskomplexe überspielen soll? Wenn Du Dir Deine Schwachstellen eingestehst und diese Wunden heilen läßt, sei auch in der physikalischen Welt nicht länger untätig. Versuche, Deine übermäßige Eitelkeit auf ein Mindestmaß zu reduzieren, indem Du schlichte Kleidung und einen unkomplizierten Haarschnitt trägst, Dein Gesicht nicht auffällig schminkst und auch Deine Fingernägel nicht zum Blickfang werden läßt. Wenn es dagegen geboten erscheint, an Deinem Aussehen zu arbeiten, laß Dir eine neue Frisur machen, schminke Dich anders und kleide Dich so, daß Du Dich attraktiv und wohl fühlst, voller Leidenschaft und Lebenslust. Du solltest Dich regelmäßig körperlich betätigen und Deinen Körper pflegen. Du mußt Dein eigenes Schönheitsideal finden, das auf der Liebe zu Dir selbst, dem Bekenntnis zu Deinen naturgegebenen Merkmalen, auf Unverfälschtheit und Deiner Einzigartigkeit beruht.

Gestalte auch Dein Heim und Deinen Arbeitsplatz neu. Trenne Dich von allem, was Du nicht länger gebrauchen kannst, oder verschenke es. Unterziehe alles einer gründlichen Reinigung, damit Du einmal die ganz besondere Energie spüren kannst, die von einem blitzblanken Zimmer ausgeht. Weihe Deine Umgebung den Engeln in Form einer Einsegnung und Taufe. Denke auch an verschiedene kleine Verschönerungen wie zum Beispiel einen Blumenstrauß, Räucherwerk, ätherische Öle, Potpourri-Sträußchen, Kerzen, Musik, Bilder und Farben, in deren Gegenwart Du Dich einfach wohl fühlst; suche Dir behagliche Dinge heraus, die für Wohlbefinden und eine friedvolle Stimmung sorgen.

Fehlt es Dir an diesen Dingen und machst Du Deine schlechte finanzielle Lage dafür verantwortlich? Empfindest Du Deine Minderwertigkeit noch stärker? Wenn Du der Ursache Deiner Einschränkungen auf den Grund gehst, sei erfinderisch in der Not. Kaufe in Second-Hand-Läden, achte auf Sonderangebote, halte Augen und Ohren offen. Du kannst auch Freunde um Hilfe bitten – vielleicht können sie irgend etwas gerade nicht mehr gebrauchen, was für Dich wunderbar geeignet wäre! Tauscht Kleider miteinander aus. Laß Dich zum Beispiel beim Friseur von einem Auszubildenden bedienen. Bitte Iofiel, er möge Dir Herz und Geist öffnen, damit Du empfangen kannst.

Schönheit ist ein Energiesystem liebender Lichtwellen. Nimm Dir im Laufe des Tages immer wieder die Zeit, Schönes zu genießen. Sieh durch die äußere Erscheinung hindurch und erblicke die innere Schönheit. Die Engel verströmen die exquisitesten Duftaromen der Natur, deren anregende Wirkung auf Erden unerreicht ist. Lade diese Energie ein, Teil Deines normalen Lebens zu werden und spüre, wie sie Dich belebt und beruhigt.

Immer wenn Du danach trachtest, etwas Schönes zu erschaffen – wenn du die Möbel umstellst, etwas mit einem neuen Farbanstrich versiehst oder putzt, wenn Du bildhauerisch oder handwerklich tätig bist, Dich als Schriftsteller, Designer oder Maler versuchst –, dann ersuche um Iofiels Hilfe. Sie wird Deine kreative Schaffenskraft stimulieren, um Deine Vision aus dem Gefängnis der Konvention zu befreien. Wenn die Hand Gottes schließlich die Deine führt, wird der Rhythmus der Engel Dein eigener werden, und zusammen werdet ihr ein Werk unendlicher Schönheit erstehen lassen.

Schönheit macht jedoch nicht bei der Kunst halt, um das Aussehen des Gemeinwesens zu gestalten, wie es von der Architketur, den Straßen, Parks, dem Gesetz und den Beziehungen zu anderen Menschen widergespiegelt wird. Das ist das Ideal und der Maßstab, an dem alles gemessen werden muß. Fehlende Schönheit und ein Mangel an Liebe offenbaren sich im Angesicht von verfallenen Bauten, heimatlosen Seelen, mißbrauchten und ausgesetzten Kindern, Genußmittelmißbrauch, Abfallbergen, Gewalt – die Liste dürfte wohl hinlänglich bekannt sein. Bitte Iofiel darum, die Schönheit zum Leben zu erwecken. Der Himmel ist mehr als nur ein Ort – er ist das Bewußtsein Gottes. Welchen Beitrag kannst Du leisten, damit sich der Himmel in Deinem Teil der Welt zeigt?

Musik: Palestrina: das Album *Missa De Beata Virgine*
Suzanne Ciani: das Album *Velocity of Love*
Merlin's Magic: das Album *The Spirit of Cancer*
Merlin's Magic: das Album *The Spirit of Libra*

22

Amitiel

WAHRHEIT

Ein Wort kann Wahrheit nicht verkünden,
birgt es sie doch nicht...
im Inneren dagegen ist sie zu vernehmen.
Gourasana

Es gibt verschiedene Ebenen der Wahrheit. Die Wahrheit, die sich in Abhängigkeit von Erfahrungen oder Erkenntnissen einstellt, ist täglichem Wandel unterworfen. Die universelle Wahrheit ist Teil der Ewigkeit, und Du wirst ihrer teilhaftig, wenn sie in Harmonie mit dem Gedächtnis Deiner Seele erklingt. Die endgültige Wahrheit lautet, daß Du ein Teil Gottes bist, der in ein menschliches Gewand gehüllt ist. Das Ewige Ich ist Dein persönlichkeitsimmanenter Teil Gottes allerhöchster Gegenwart. Wenn Du eine Einheit herstellen kannst zu der Wahrheit, was Du wirklich empfindest, dann hast Du eine Brücke zu Deinem Ewigen Ich geschlagen.

Bitte Amitiel, er möge Dir helfen, die Wahrheit hinter Deinem

Sehnen und Deinen Erfahrungen zu finden. Das wird die Tore öffnen, durch die unermeßlich Freude einströmen kann. In den meisten von uns ist die Wahrheit unter ganzen Schichten von Selbstverleugnung begraben, und es bedarf umfangreicher Freisetzungsarbeit, um sie zutage zu fördern. Rufe Dir zuallererst einmal ein traumatisches Erlebnis ins Gedächtnis zurück. Hat es Dich so übermannt, daß Du alles nur Erdenkliche getan hast, um jegliche Empfindung auszuschalten? Hast Du zur Flasche, zur Zigarette oder zu Schlaftabletten gegriffen; hast Du versucht, an etwas anderes zu denken oder Dich so zu beschäftigen, daß Du die Konfrontation gar nicht aufnehmen mußtest? Dies wären alles Möglichkeiten, starke Gefühlsregungen der Verärgerung oder Furcht zu verleugnen.

Versucht man, dem Schmerz auszuweichen, so stellt sich das Problem, daß Gefühle im Gegensatz zu Erlebnissen eben nicht der äußeren Welt angehören. Sobald man Empfindungen ablehnt, lehnt man auch einen Teil seiner selbst ab. Und das Gefühl verschwindet nicht einfach – nein, es verweilt an Deiner Seite und führt zu einer Unterströmung, die zukünftige Erlebnisse manipuliert, um Deine Aufmerksamkeit auf sich zu lenken. Es sind nicht die Gefühle, die bewirken, daß Erlebnisse unangenehm sind, vielmehr stellen sie lediglich eine Reaktion dar und sind eigentlich zu Deinem Schutz gedacht. Stelle die verlorenen Teile Deines Ichs wieder her, um das Glück erneut mit Händen greifen zu können. Solange Du Dich nicht zu ihnen bekennst, ist es dunkle Nacht um sie herum, und sie sind nicht imstande, die nährenden Lichtstrahlen Gottes zu empfangen. Deine emotionale Energie löst Schwingungen aus, die die Dunkelheit durchdringen, so daß Liebe und Heilkraft einströmen können. Und diese Schwingungen durchbrechen auch die Aura der Begrenztheit, die den ewigen Kreislauf negativer Verhaltensmuster antreibt.

Nachdem Du an Dir selbst gearbeitet hast, wirst Du es nur natürlich finden, auch in Deinem Umgang mit anderen eine höhere Ebene der Wahrheit anzustreben. Mache Dir einmal bewußt, was Du sogar bei kleinen und unbedeutsamen Anlässen empfindest. Verleugnest Du Dich beispielsweise selbst, wenn Du etwas gegen

Deinen Willen tust? Bewußt oder unbewußt weiß derjenige, für den Du dies tust, sehr wohl die Wahrheit. Sobald Du Dich erst einmal durch die ganzen Gefühle in Deinem Inneren hindurchgearbeitet hast, mußt du diese Chance nutzen, um die Wahrheit deutlich zu machen, so wie es angezeigt scheint. Vergib Dir selbst genauso wie den anderen und schreite voran!

Verleugnung kostet unnötig Energie und verursacht so Kopf- oder Magenschmerzen, Erschöpfungszustände, Krankheiten, Verletzungen oder einfach nur Gereiztheit. Nimmst Du Tabletten, um die Symptome zu überdecken? Oder erkennst Du diese Boten der Wahrheit und gehst ihrem Bedeutungsgehalt auf den Grund? Wenn Du versuchst, Gefühle zu verarbeiten, bist Du sicher oft drauf und dran aufzugeben, da die Dunkelheit einen heftigen Überlebenskampf ficht. Fährst Du allerdings fort, mit den Empfindungen bis an den Rand des Durchbruchs zu gehen, kann es gut sein, daß Du mit Transformationsenergie erfüllt wirst, wenn Wogen der Glückseligkeit Deinen Körper mit Licht und Liebe durchströmen.

Wenn Du Deine wahren Gefühle akzeptierst – die guten wie die schlechten, die starken wie die unterschwelligen –, dann stärkst Du Deine Fähigkeit, Freude ebenso wie bedingungslose Liebe, Sinnlichkeit, Dankbarkeit und Vergebung zu empfinden. Dein Ewiges Ich und Gott verfügen über eine reiche Energie, die Dein Körper nur dann nutzen kann, wenn die Dunkelheit ihn nicht blockiert. Das Wesen Deiner Transformation besteht darin, diese Dunkelheit aufzuspüren, Deine Verleugnung zu akzeptieren und sie mit Liebe und Licht zu erfüllen. Sei offen, damit dieser Energiefluß Deinen Körper durchströmen kann, der Dir die allerhöchste Gegenwart Gottes und Deines Ewigen Ichs beschert. Rufe Amitiel an, damit er Dir hilft, Dich ganz dem Freudentaumel hinzugeben, wenn Du Dich endlich in den Armen der Wahrheit wiederfindest!

Musik: Natalie Cole: „Unforgettable" aus *Unforgettable*
Steve Halpern: das Album *The Forgotten Song*
James Tylor: „Oh Brother" aus dem Album *New Moon Shine*
Tänzers Traum: „Sternblüten" aus dem Album *Sternblüten*

Die dritte Ordnung – Innere Engel

23

Zagzagel

WEISHEIT

WER, wenn ich schrie, hörte mich dann aus der Engel
Ordnungen? und gesetzt selbst, es nähme einer mich plötzlich
ans Herz: ich verginge von seinem stärkeren Dasein.
Rainer Maria Rilke, *Duineser Elegien I*

Zagzagel ist der Engel der Weisheit, der Moses im brennenden Dornbusch erschien. Zagzagel lehrt uns, zuzuhören und nach innen zu sehen. Wenn man auf der Suche nach der Wahrheit tief in sich geht, so steht am Ende die Weisheit. Viele von uns sind allzu sehr mit äußerem Tun und Treiben beschäftigt, geben viel zuviel auf die Meinung anderer und sind so vollgestopft mit allem, was die Medien über uns ausschütten, daß wir gar nicht mehr in der Lage sind, unsere Gedanken nach innen zu richten.

In sich hineinzuhorchen ist für den Vorgang des Erwachens unerläßlich; es ist aber unmöglich, solange man voller Vorurteile und Ängste steckt. Wenn Dein Blick noch von Illusion und Irrglaube verhangen ist, fühlst Du Dich vielleicht unwürdig, kommst von Deinem Pfad ab oder verfällst wieder in die alte Gewohnheit, das zu hören, was Du hören willst, auch wenn es nicht der Wahrheit entspricht. Schließlich besteht der Sinn der Illusion darin, alles nur Erdenkliche zu tun, damit Du Dich nicht von dieser materiellen Welt mit ihren einengenden Zwängen, den Übeln und dem

Hauch des Todes lösen kannst. Gottes Weisheit dagegen ist nicht durch Ängste getrübt, sie ist mächtig und voll des Triumphes.

Um dieser Weisheit teilhaftig zu werden, besänftige Deinen Geist und lerne zuzuhören. Anfangs mag sich dies durchaus schwierig gestalten, da Du Dich vielleicht von aufwühlenden Gefühlen und Gedanken quälen läßt. Bitte um Hilfe und biete Deine Verwirrung auf dem Altar Deines Herzens dar. Wenn Du Dich redlich bemühst, wird bald Ausgeglichenheit herrschen, wo Du vorher aufgewühlt warst. Allmählich wird sich Friede einstellen – das Tor zu zu dem Zentrum Deiner inneren Weisheit –, und er wird sich zum geheimen Ort Deines Allerhöchsten entwickeln. Von dort kannst Du Dich nun endlich von Deinem Ewigen Ich an die Hand nehmen und leiten lassen.

Die Göttliche Führung zu erkennen stellt den nächsten Schritt dar. Bisweilen offenbart sich das Innere Gehör dem Geist in Form von Worten, weitaus öfter tritt es jedoch als Gefühl oder Erkenntnis zutage. Heiße alle Gefühle, die Dir zuteil werden, willkommen und schließe auch die unangenehmen nicht aus – die Einsamkeit etwa, die Wertlosigkeit, Schande, Wut, Eifersucht, die Frustration oder Angst. Sie alle tragen dazu bei, daß Du den Irrglauben und die Illusionen, die Dich gefangenhalten, erkennst. Anfangs bist Du ihnen völlig ausgeliefert, das heißt, Du mußt darum bitten, einen Weg aus dieser Verwirrung zu finden. Oft bedarf es intensivster emotionaler Freisetzungsarbeit, um Deine Ängste und Fehlinterpretationen aufzuarbeiten. Bete darum, Du mögest Deine wahre Stimme erkennen. Sobald Du Deinen Emotionalkörper befreist, werden sich Dein Inneres Ohr und Dein Inneres Auge öffnen.

Wenn Du mit den Engeln und Gott in Verbindung trittst, fühlst Du Dich lebendig und steckst voller Energie. Vielleicht wird Dir gar nicht zuteil, was Du eigentlich hören möchtest. Die innere Stimme nimmt vielleicht die Gestalt plötzlich auftretender Gewissensbisse an, wenn Du vom rechten Weg abkommst. Du mußt Dir klarmachen, daß dies die liebende Hand des Herrn ist, der Dich wieder auf den richtigen Pfad zurückholt. Die innere Stimme tritt auch in From von Intuition auf, also der Kommunikation Deines

Ewigen Ichs mit Deinem Bewußtsein. Intuition liegt tiefer als das Gewissen und bedarf einer stärkeren Verbindung mit dem Zentrum der inneren Weisheit. In dem Maß, wie das äußere Tun nachläßt und Du mit Dir selbst in Frieden lebst, nehmen Deine inneren Aktivitäten zu. Auf Deine einzigartige Weise spiegeln die Gaben eines klaren Denkvermögens und einer einfallsreicheren Phantasie schließlich Göttliches Gedankengut wider. Das Urteilsvermögen wird geschärft und alte Gewohnheiten – Angst zu verspüren oder sich engeengt zu fühlen – verschwinden. Du bist auf die Quelle der Weisheit gestoßen.

Als nächstes bedarf es der Erkenntnis, daß Du nicht länger ohne die Führung Deines Ewigen Ichs und seine Allwissenheit sein kannst. Wahrscheinlich fragst Du Dich, wie Du vorher überhaupt leben konntest! Es ist eine wahre Freude, diesen liebenden Armen jegliches Gefühl der Trennung und egozentrierten Starrsinns zu überantworten. Du mußt Gott nicht länger suchen, sondern kannst Ihm vielmehr Deine Dienste anbieten. „O Herr, dein Wille geschehe; ohne dich bin ich machtlos."

Du bist von grenzenloser Glückseligkeit erfüllt. Die Dankbarkeit steigt so mächtig in Dir hoch, daß sie das Floß wird, das Dich der Heimat zuführt. Gott erscheint Dir auf so persönliche Weise, daß Du keinen Zweifel haben wirst. Deine Fragen werden beantwortet. Du betrachtest die Menschen mit den Augen der Liebe und des Mitgefühls, da Du Gott in allem und jedem erkennst. Dies war die Suche in Dir wohl wert, und für die Belohnung, die Vereinigung mit Gott, wäre kein Preis zu hoch gewesen.

Musik: *On Yolis Night Medieval Carols and Motets*
Mike Rowland: das Album *Fairy Ring*
Aeoliah: das Album *Inner Sanctum*
Raphael: das Album *Music to Disappear In*
Tänzers Traum: aus dem Album *Nachtflug – Reise ins innere Licht*
Merlin's Magic: aus dem Album *The Spirit of Capricorn*
Merlin's Magic: „Kronen-Chakra" aus dem Album *Chakra Meditation*

24

Shekinah

EINHEIT

Denn der Schein Shekinahs durchzog die Welt von einem Ende bis zum anderen – von einer Leuchtkraft, stärker als die Sonne. Ein jeder, der in dieses Licht auch trat ... auf ihm wagten der Fliegen und Mücken nicht zu verharren. Nie ward er krank noch litt er Schmerz. Ein jeglicher Dämon gar ohne Macht über ihn und fügte ihm auch keine Wunden bei.

Das Buch Henoch, Kapitel 54

Shekinah gilt als die göttliche Manifestation der Gegenwart Gottes, als Gottes leuchtendes Licht und als reinigender und läuternder Leuchtkörper, den die Engel vor dem Gebet passieren. Als die Braut des Herrn ist sie die Manifestation Gottes in uns Menschen. Sie erlöst uns von dem Bösen und befreit uns. Im Talmud verharrte Shekinah als unvorstellbare Quelle der Heilung und des Schutzes unter dem Baum des Lebens, als Gott Adam aus dem Paradies vertrieb. In der Thora wurde Shekinah zusammen mit Adam verbannt. „Der wahre Sinn der Thora besteht darin, Shekinah wieder Gott zuzuführen und sie mit Ihm zu vereinen." Das Wesen unserer Arbeit sieht vor, sowohl unser irdisches Ich als auch das Ewige Ich erneut mit Gott zu vereinen.

Zuallererst mußt Du erkennen, daß Du die einzigartige Manifestation einer bedeutsamen Wesenseinheit des Göttlichen bist. Das haben die meisten von uns nämlich vergessen. Deine Lebensaufgabe besteht darin, den Tempel Deines Körpers in einen reinen Hort für das Ewige umzuwandeln. Es ist Gottes Wunsch, direkt mit Dir in Kontakt zu treten, und er sehnt Deine Heimkehr herbei. Vergiß Deine Vorurteile und das Gefühl der Minderwertigkeit einfach einmal und öffne Dein Herz. Du bist Dir dessen vielleicht nicht immer bewußt, aber der Geist ist Dir so nah wie Dein Atem – das Erlebnis der Gegenwart Gottes beschneidest Du Dir ganz allein auf Grund Deiner vorgefaßten Meinungen. Hast Du schließlich das höchste Ziel – die Vereinigung oder Verschmelzung – erreicht, bist Du Dir der Gegenwart Gottes in all ihren Ausdrucksformen stets bewußt. Gott lebt, er wächst an sich und macht Entwicklungsprozesse durch; er verlangt nach Deiner Liebe genauso, wie Du Gottes Liebe ersehnst.

Das Ewige Ich ist Dein ganz persönlicher Wesenszug Gottes. Elektronen-Leuchtsubstanz oder flüssiges weißes Feuer erreichen ihn, wenn sie durch die Zirbeldrüse in den physischen Körper gelangen und durch die Nervenbahnen fließen. Dieses Licht durchströmt uns, läßt unser Herz schlagen und versorgt das Gehirn mit der Energie, die unsere Körperfunktionen aufrechterhält. Wo Friede herrscht und Liebe regiert, wo starke Bande zu Gott geknüpft wurden, da sind auch Jugend und Schönheit nicht weit. Machen sich in Deinem Kopf unangenehme Gedanken breit, dann schlägt sich das in Form von Krankheiten und einem beschleunigten Alterungsprozeß nieder. Das soll freilich nicht heißen, daß Du Gefühle und Erinnerungen unterdrücken solltest – ganz im Gegenteil. Scheue nicht davor zurück, die Wurzel allen Übels in Dir selbst auszurotten, und an ihre Stelle wird ein friedvoll Göttlicher Geist treten.

Sei stets offen, um Dir von Deinem Ewigen Ich Wissen und Energie vermitteln zu lassen. Stelle meditative Gedanken zu diesem Wesenszug Gottes in Dir an und halte Zwiesprache mit ihm. Dein Ewiges Ich ist Shekinah, und sie läßt uns die Kraft zuteil werden, derer das äußere Ich bedarf, um die Verbindung mit seinem göttlichen Ursprung aufrechtzuerhalten. In Wirklichkeit sind das äußere Ich und das Ewige Ich eins; und der größte Irrglaube besteht darin, anzunehmen, wir seien von Gott getrennt. Sobald wir davon überzeugt sind, gehen wir davon aus, daß wir das Steuer in der Hand haben, oder wir fallen den Unbilden des Lebens zum Opfer.

Dem Ewigen Ich liegt nichts daran, unsere irdischen Probleme für uns aus dem Weg zu räumen, sondern es gibt uns die Chance, den Prozeß der Läuterung und Harmonisierung unter schwierigen und leidvollen Bedingungen voranzutreiben. Gott hat uns die freie Wahl ermöglicht – wir können entweder Eingeengtsein oder Göttlichkeit offenbaren. Das ungestillte Verlangen und unaufhörliche Sehnen, mit Gott zu sein, geht vom Ewigen Ich aus. Bist Du dessen bis jetzt noch nicht teilhaftig geworden, so harre der Dinge. Diese Sehnsucht wird Dich Schritt für Schritt leiten, wenn Du Dich von Deinen Illusionen und Deinem Irrglauben befreist. Dies geschieht dadurch, daß Du erkennen kannst, wie unsagbar allein und verlassen Du Dich fühlst. Diese Gefühle sind Gottes größte Gabe, der sich unmittelbar dahinter verbirgt und nur darauf wartet, daß Du mit Deinem Verlangen den Durchbruch schaffst! Wenn Du Dich fast schon überwältigt glaubst, kommt Gott auf dem Energiestrahl an Deine Seite, den Du mit der Stärke Deines Wunsches hervorgebracht hast.

Ersuche Shekinah oft darum, Dich mit dem Leuchtenden Licht Gottes zu reinigen, Dich mit der Gegenwart Deines Ewigen Ichs zu erfüllen, zu schützen und heilen, Dich heimwärts zu führen!

Musik: Michael Jackson: „Will You Be There“ aus dem Album *Dangerous*
Anton Bruckner: „Ave Maria“
Pointer Sisters: „Automatic“ aus dem Album *Greatest Hits*
Elton John: „The One“ aus dem Album *The One*
Merlin's: Magic: „Ausklang“ aus dem Album *Chakra Meditation*
Merlin's Magic: das Album *Reiki*
Merlin's Magic: das Album *The Spirit of Cancer*

25

Galgaliel

SCHWINGUNG

Dein einzigartiges, erhabene Herzchakra wird sich wie von einem Blitz getroffen öffnen, und du wirst zur Schwingung der Liebe werden – einer Schwingung, die weit jenseits der Liebe im menschlichen Bereich liegt, so daß es den Sprachen dieser Erde an Worten fehlt, um einen anschaulichen Vergleich zu ziehen.
Ruby Nelson, *The Door of Everything*

Galgaliel wacht über das Rad der Sonne. Das hebräische Wort „galgal" heißt entweder Rad oder Pupille. In seiner Vision Gottes erwähnte Hesekiel Galgaliel als Rad im Räderwerk, das Gott auf Schritt und Tritt begleitet. Hesekiel sah Felgen mit Speichen voller Augen. Er hörte auch „die Flügel rauschen wie große Wasser und wie ein Getön des Allmächtigen [...] und wie ein Getümmel in einem Heer". (Hesekiel 1:24)

Was soll das alles bedeuten? Wenn Du Dir einmal das Bild von einem Rad vorstelltst, das sich in einem Rad dreht, dann hast Du eine Vortex aus Energie vor Augen. Die Augen in dieser Vortex wiederum symbolisieren das Bewußtsein und legen nahe, daß die Augen Gottes auf der gesamten Schöpfung ruhen. Mit „Getön" ist die Wirkung des verstärkten Klanges und der erhöhten Schwingung umschrieben.

Emotionen rufen Schwingungen hervor. Kannst Du Dich an einen Augenblick erinnern, in dem Du äußerst wütend warst und Dich gefühlt hast, als würde ein Gefühlsblitz Deinen Körper durchzukken? Oder an einen Moment, als Du dem Zauber der Liebe erlagst und im 7. Himmel zu schweben schienst? Durch Empfindungen wird die Schöpfung erst in Gang gesetzt oder vorangetrieben. Wünsche verspürst Du lediglich aufgrund Deiner Gefühle, die Deine Schwingungsfrequenz erhöhen und so den Pol magnetischer Anziehungskraft aktivieren, die Dein Verlangen erst in Deine Nähe rückt.

Als Du geboren wurdest, hattest Du die spirituelle Macht inne, Dich mittels Deiner Schwingungen mitzuteilen und mit ihnen auch den nötigen Raum zu schaffen und freizuhalten. Hast Du schon einmal Babys beim Weinen beobachtet? Sie schreien und bringen sich voll ein. Als Kleinkind wurde Dir dann vermutlich beigebracht, Dich ruhig zu verhalten und stillzusitzen, nicht zu weinen, keine Gefühle zu zeigen oder Schwingungen auszusenden. Nach einer gewissen Zeit hattest Du dann das Gefühl, als würden das Leben und der Raum Dich einkesseln; als hättest Du immer weniger persönliche Freiheit, würdest überwacht werden, säßest in einer Falle und wärst eingeengt. Du verlorst Deine spirituelle Macht und die Fähigkeit, genug Schwingungen auszusenden, um Deinen Raum offenzuhalten. Und damit setzte Dein Sterben ein.

Durch Deine Schwingungen wird die magnetische Anziehungskraft ausgelöst, die die Lebenskraft an Dich heranführt. Das ist die Elektronen-Leuchtsubstanz, von der sich Körper und Geist nähren und die Dich mit Deinem Ewigen Ich verbindet. Je undurchdringlicher Du wirst, desto langsamer schwingen Deine Emotionen und desto schwieriger ist eine Veränderung herbeizuführen. Nur wenn Du zu Deinen wahren Gefühlen zurückfindest, kannst Du Deine spirituelle Kraft wiedererlangen. Dies geschieht auf dem Wege emotionaler Freisetzung. Arbeite zunächst daran, Deine Gefühle zu befreien, damit Deine Gedanken folgen können.

Am leichtesten kannst Du mit dieser Freisetzung beginnen, wenn gerade etwas schiefgelaufen ist und Du aufgebracht bist. In solchen Augenblicken helfen Dir Dein Schutzengel, Dein Ewiges Ich und andere Mitglieder Deiner Betreuungsmannschaft, die Blockade zu erkennen und zu durchbrechen. Die Macht und Intensität negativer Emotionen stellen die Antriebskraft dar, mit deren Hilfe die starre Struktur niedergebrannt werden kann, die den freien Fluß von Energie und Schwingungen eingeschränkt hat. Im energetischen Bereich ist diese Struktur so greifbar wie Dein Haus im physischen Bereich. Sie begrenzt den Energiezu- und -abfluß und schränkt Deine Wahrnehmungsfähigkeit für das Wahre und Bedeutsame ein, so daß es Dir unmöglich ist, die volle Wahrheit zu erfahren – zu erfahren, wer Du wirklich bist.

Wenn gerade keine gefühlsmäßige Reaktion ausgelöst worden ist, beginne einfach damit, Dich ganz ruhig hinzusetzen und Dir bewußtzumachen, wie Du Dich fühlst. Versuche, das brennende Sehnen in Dir aufzupüren – das Sehnen nach Freiheit, Liebe oder dem für Dich Wichtigen. Gehe diesem Gefühl nach, als wäre es ein Lichtstrahl, der die Dunkelheit durchbricht. Dieses Sehnen kann sich ruhig noch verstärken, und Du mußt das tun, wonach Dir gerade ist. Klang ist Schwingung und kann Dich zu der Energie führen, die zur Freisetzung bereit ist. Gib Laute von Dir und bewege Dich so, wie Dir zumute ist. Um etwas, das blockiert ist, wieder freizubekommen, mußt Du es in so rasche Schwingungen versetzen, daß sich die Struktur entzündet und es abbrennt. Vertraue auf die Führung Deines Ewigen Ichs. Bitte Gott, er möge Dich in seinen Armen halten und Dir den Weg weisen. Gib Dir Mühe, gib Dein Bestes – gib alles, was Du zu geben imstande bist – wie ein weinendes Baby.

Hast Du die Blockade auf diese Weise hinter Dir gelassen, wird sich Deine Einstellung ändern! Du wirst voller Energie und Freude stecken! Du wirst Dein Leben klarer vor Augen haben. War Dein Körper taub und hat geschlafen, so wird er aufwachen. Je mehr Du bereit bist loszulassen und Dich öffnest, um Dein Ewiges Ich zu empfangen, desto mehr Energie wird Dich durchströmen. Diese zunehmenden Schwingungen werden magnetisch neue Freunde anziehen, neue Ideen, Gesundheit und Lebenskraft, sie werden Dir Engel(!) bescheren, die richtige Arbeit, den richtigen Gefährten oder eine ausgefülltere Beziehung mit Deinem jetzigen Gefährten, bessere Lebensumstände und stärkere Bindungen innerhalb der Familie.

Musik: Pointer Sisters: „Neutron Dance“ aus dem Album *Greatest Hits*
Peter Gabriel: das Album *Passion*
Tänzers Traum: „Yemanjah“ aus dem Album *Traumtanz*

26

Nathaniel

FEUER

Tauche ein in den Zauber des Geschehens und sage Dank.
Mögen Deine Wandlungen bisweilen
auch von Widrigkeiten begleitet sein, so wisse:
die Dunkelheit muß weichen, möchtest du im Licht erstrahlen.
Was begehrst du noch?
Kalindi

Nathaniel heißt soviel wie „Gabe Gottes". Er ist Herr über das Feuer, eine machtvolle Gabe Gottes. Nathaniel überträgt das göttliche Prinzip des Feuers auf unsere Welt, wo dieses das Bewußtsein aus dem niederen Ich zum Ewigen Ich erhebt. Indem der Irrglaube niedergebrannt wird, Du seist von Gott getrennt, kann Dein Körper neue Kräfte sammeln. Es kann sein, daß Du dieses Transformationsfeuer als Hitzewallung spürst oder als gewaltigen Energieschub, wenn Du gerade in Meditation versunken bist und von dem starken Wunsch nach Veränderung beherrscht wirst.

Dadurch, daß Nathaniel dem Licht verpflichtet ist, fühlen sich seine Amfri-Engel wiederum in die Pflicht genommen, mit dem Feuer der Seelenliebe über Dir zu schweben. Ihre Aufgabe besteht darin, alles niederzubrennen, was Dir wie ein Joch auf den Schultern liegt oder dem freien Energiefluß in Deinem Körper im Wege steht. Stets halten sie nach dem spirituellen Feuer eines Hoffnungsträgers Ausschau. In jenen kostbaren Momenten, wenn Deine Inbrunst Dein Verlangen nach Liebe und Licht entzündet und eine Flamme hervorbringt, die so hell leuchtet, daß die Amfri auf Dich aufmerksam werden, hast Du die Möglichkeit, Dich aus Deinem Gefängnis von Illusion und Irrglauben zu befreien. Nur durch Deine Gefühle kann dieses Sehnen und die Hingabe entflammt werden, und das Ergebnis sind schließlich energiereiche Empfindungen, die pulsieren und vibrieren. Heiße diese elektrische Energie willkommen und gestehe Deinem Körper zu, sich im Einklang mit ihr zu bewegen.

Nachdem die Amfri Dein Bewußtsein und die Lichtaura vorbereitet haben, indem sie die selbstauferlegten Beschränkungen niedergebrannten, die eine derartige Intensität in der Vergangenheit erst gar nicht zuließen, bist Du nun bereit, daß Nathaniel den Fluß dieser elektrischen Taufe durch Deine höheren Körper wie auch Deinen physischen Körper verstärkt. Diese Initialzündung wird dann möglich, wenn Dein ganzes Sein förmlich nach Liebe schreit, nach Wahrheit und nach Gott-Bewußtsein. Sie ist sehr stark und einzigartig schön. Während dieser Taufe kann es sein, daß Du geradezu überwältigt bist von dem Freudentaumel bedingungsloser Liebe. Laß das Ganze in einen wilden, leidenschaftlichen Tanz der Verzückung ausarten, der vor Freude angesichts des Ausmaßes dieser Stärke nahezu explodiert. Dein Herz wird mit soviel Dankbarkeit erfüllt, daß sich Dein Oberkörper in orgiastischen Zuckungen heben und senken wird und Du Dich fühlen wirst, als wäre Dein Körper lediglich die Leitung, durch die diese Energie hindurchfließt.

Dies sind die Segnungen der drei kosmischen Kräfte – die Macht Kundalinis, das Licht Deines Ewigen Ichs und die Liebe Gottes. Gott hat diese Transformationsenergie gesandt, um Dich zu befreien. Dein Körper ist das Medium, durch das Energie, Glückseligkeit und Liebe fließen dürfen! Wenn es versperrt ist durch Ängste, Vorurteile und Mißverständnisse, dann verharrt die Energie glücklicherweise am unteren Ende Deines Rückgrats. Wird sie zu früh erbeten, kann das Angst oder Schmerz auslösen. Ist jedoch der richtige Zeitpunkt gekommen und ruft man sie mittels Joga, Mediation oder eines innigen Verlangens herbei, dann steigt die Energie, die jetzt bereit ist, durch einen Ätherkanal in Deinem Rückenmark auf und fließt in die verschiedenen Chakren, um sie zu nähren und mit Leben zu erfüllen. Jedes einzelne Chakra reicht Dir eine Gabe dar. So etwa das Wurzelchakra, das sexuelle Leistungsfähigkeit, Lebenslust und Schaffenskraft beschert. Ist Dein Herzchakra erst offen, kannst Du eine Verbindung zur Göttlichen Gegenwart herstellen und Dein Eins-Sein mit allem Lebenden entdecken. Mitgefühl tritt an die Stelle alter Vorurteile, und intuitiv spirituelle Wahrnehmung und Weisheit nehmen den Platz menschlicher Beschränkung ein. Ausgehend vom Halschakra wird Deine Fähigkeit wachgerufen, die Stimme Deines Ewigen Ichs und Gottes zu vernehmen. Wenn sich Dein Drittes Auge öffnet, dann wird Dir Inneres Sehen zuteil. Das Scheitelchakra stimuliert das übernatürliche Bewußtsein, das innere Wissen.

Diese Gaben sind der Lohn entschlossener Hingabe an Dein Ziel, frei zu sein. Lasse den Mut nicht sinken, wenn Du Dich durch die Dunkelheit kämpfst, und gib Dich ganz dem Genuß hin, wenn es gilt, Deine Fortschritte zu feiern! Ein physisches Feuer in Form eines flackernden Kamins oder einer Kerzenflamme ist das verdichtete Gegenstück zu Nathaniels Feuer. Wenn Du im Angesicht der Flammen meditierst, solltest Du auf Deinen Herzschlag achten und den Energiefluß, der Deinen Körper durchströmt. Rufe Nathaniel an, er möge Körper und Geist reinigen. Sei dann bereit, das Feuer zu empfangen, wenn es sich einstellt. Heiße seine lodernden Flammen willkommen und übereigne ihm alles, was Dich der Wahrheit, wer Du nämlich wirklich bist, entzweit!

Musik: Enigma: das Album *MCMXC a. D.*
Trevor Jones und Randy Edelman: das Album *The Last of the Mohicans*
Merlin's Magic: das Album *The Spirit of Leo*

Die Vierte Ordnung – Mutter-Engel

27

Micah

DER GÖTTLICHE PLAN

Unsere Geburt ist nur ein Schlaf und ein Vergessen:
Die Seele, die mit uns emporsteigt, unseres Lebens Stern,
hatte anderswo ihre Heimat und kommt von fern:
Nicht in völliger Vergeßlichkeit
und nicht in äußerster Nacktheit,
sondern als dahinziehende Wolken aus Herrlichkeit
kommen wir von Gott, der unsere Heimat ist.
William Wordsworth: *Ode: Innewerden der Unsterblichkeit*

Micah wacht über unsere spirituelle Entwicklung und ergreift jede Gelegenheit, die sich ihm bietet, um uns den jeweils nächsten Schritt unserer Bestimmung hier auf Erden zu offenbaren. Dieser Lebenszyklus stellt nur einen kleinen Ausschnitt aus Deinem Göttlichen Plan dar, der Dich durch viele verschiedene Erfahrungen geleitet, damit Du das werden kannst, wozu Du auserkoren bist. Wenn Du schließlich genug Gefühlsballast abgeworfen hast, um Dir über diese Bestimmung klarzuwerden, wirst Du erkennen, daß sich dahinter genau das verbirgt, was Du die ganze Zeit über angestrebt hast. In der Akasha-Chronik ist Deine ganze Lebensgeschichte festgehalten, also alles, was Du tust, denkst, sagst, fühlst, erlebst und Dir wünschst. Vor jeder Inkarnation stellt sich der Kindel-Engel, der über Deine ganze Entwicklung wacht, bei Dir ein, um die Bedürfnisse, Wünsche und karmischen Folgen Deines nächsten Lebenszyklus mit Dir zu besprechen. Er stellt dann Deinen Inkarnationsspeicher zusammen, der alle Informationen über Dein Schicksal enthält – bedeutende Menschen, mit denen Du zusammenkommen wirst; große Ereignisse, wie etwa Krisen mit spirituellen Auswirkungen; Fragen der Gesundheit einschließlich Deiner Lebenserwartung; und der karmische Schuldenberg, den es noch abzutragen gilt. Dieses Speichermedium aus Mentalsubstanz wird in Deinem Mentalleib nahe Deines Herzens abgelegt.

Deine Bestimmungsstrukturen bestehen zum einen aus ausgefüllten Waben, die vorbestimmte Ereignisse auslösen und zu einem größeren Verständnis für die wesentlichen Fragen, die Dich betreffen, beitragen; und sie bestehen zum anderen aus unstrukturierten leeren Waben. Wenn Du Dir eine leere Wabe verdient hast, trittst Du aus dem Einflußbereich Deiner Vergangenheit heraus. Du allein entscheidest, welche Haltung Du ab jetzt einnimmst und worauf Du Dein Augenmerk richtest. Neben dem Angebot, Deine Hingabe an spirituelles Wachstum noch zu verstärken, eröffnet Dir Dein Schutzengel unter Umständen zahlreiche vielversprechende Möglichkeiten. Diese Augenblicke lieben die Engel und andere geistige Wesen ganz besonders, weil Du dann nicht von geplanten Ereignissen gelenkt wirst und sie Dich neuen Lehrern und Freunden vorstellen können, Dir helfen können, ungeahnte berufliche Möglichkeiten aufzutun und Dein Bewußtsein zu erweitern. Wurde Dir eine leere Wabe zuteil, so stehst du oft vor Schwierigkeiten, weil alles Vertraute von Dir abfällt und Du Dich scheinbar in einem Schwebezustand befindest. Am meisten beglücken solche Phasen jedoch Dein Ewiges Ich. Gib gut acht, daß Du während dieser Zeiten der Wahrheit auf den Grund gehst. Deine Zukunft wird entscheidend von Deinen Taten, Reaktionen und Entscheidungen geprägt, da Du den karmischen Schuldenberg Deiner gefüllten Waben weit schneller abträgst.

Die gefüllten Waben bedienen sich der magnetischen Anziehungskraft, um Dich wieder Menschen früherer Lebenszyklen gegenüberzustellen, mit denen Du noch offene Rechnungen zu begleichen hast. Die Ereignisse werden sich auch unter den neuen

Lebensbedingungen ähnlich darstellen wie damals, als ihr euch zum letztenmal getroffen habt, damit Du die Möglichkeit hast, den Kreislauf der Wiederholung zu durchbrechen und dieses Thema aus der Welt zu schaffen. Auch in gesundheitlicher Hinsicht hast Du wieder mit der Art von Problem zu kämpfen, die Du zuvor schon nicht in den Griff bekommen hast, so daß Du zu neuem Verständnis kommen und die Heilung herbeiführen kannst. Die Segnungen und Belohnungen, die Du Dir in der Vergangenheit verdient hast, werden Dir ebenfalls erneut zuteil.

Zwar mag dies fast so klingen, als wäre alles bereits ziemlich festgelegt, doch hängt Dein Fortschritt sehr stark von DIR SELBST ab. Du kannst Dich entweder nach altbekanntem Muster verhalten oder Dein Leben ganz dem Ausbruch daraus widmen. Handle eigenverantwortlich und sei entschlossen, alles aus dem Weg zu räumen, was Dich an ein Leben kettet, mit dem Du nicht einverstanden bist. Dazu mußt Du auf ungewohnte Weise ehrlich sein – schonungslos, aber wohlmeinend.

Deine Gefühle stellen das Bindeglied zum göttlichen Willen dar. Bei allem, was Dir widerfährt, geht der Geist Gottes von Deinen Empfindungen in Deinen Verstand über. Ist der Verstand nicht in der Lage, etwas richtig zu verstehen, oder behagen ihm die ankommenden Gefühle einfach nicht, übernimmt er die Kontrolle und befiehlt Deinem Willen, etwas anderes zu empfinden, als es tatsächlich der Fall ist. Danach gehorcht Dein Wille dem Verstand, ohne der Wahrheit Beachtung zu schenken. Deine echten Gefühle werden verleugnet. Alle Fragen, mit denen Du im Rahmen der gefüllten Waben konfrontiert wirst, kreisen um diese Selbstverleugnung. Bestimmte Verhaltensmuster laufen völlig automatisch ab, ohne daß Du überhaupt merkst, was vor sich geht. Sobald Du Dir erst einmal gestattest, Deine unerwünschten Gefühle ohne Vorbehalte in ihrer ganzen Stärke zu empfinden und zu zeigen, geben die starren Energiestrukturen, die dieses Verhaltensmuster stets aufs neue ausgelöst haben, die wahren Gefühle frei und lassen ihren ungehinderten Fluß zu, wodurch Du ein Stückchen weiter auf dem Weg zur Erfüllung Deines Göttlichen Planes geleitet wirst!

Dieser Prozeß geht nur sehr langsam vor sich, und es bedürfen mehr Dinge der Heilung, als Du Dir eingestehen möchtest. Habe Geduld und sei Dir selbst in Liebe zugetan. Wenn Du losläßt, kann es passieren, daß Dir Deine echten Gefühle Dinge offenbaren, die Du gar nicht wissen möchtest. Handelst Du nicht in Einklang mit ihnen, so verleugnest Du sie erneut. Sie geleiten Dich an den rechten Ort und bescheren Dir Glück im Leben. Es mag sein, daß Du Beziehungen beenden oder eine andere berufliche Laufbahn einschlagen mußt, daß es angezeigt ist, umzuziehen und Freunde zurückzulassen. Diese Veränderungen sind sicher nicht leicht vorzunehmen, dafür entziehen sie Dich aber dem Einflußbereich von Menschen, Tätigkeiten und Dingen, die Teil der Selbstverleugnung sind und in Wirklichkeit eigentlich nicht zu Dir passen. Öffne Dein Herz und Deinen Geist, damit sie dazu beitragen, daß Du den richtigen Ort findest und Dein Leben nach Deinen Vorstellungen gestalten kannst.

Es kann sein, daß Dein Göttlicher Plan Dir eine neue Perspektive hinsichtlich Deiner gegenwärtigen beruflichen Situation eröffnet oder Dich mit etwas gänzlich Neuem konfrontiert. Genausogut ist es aber auch möglich, daß Du Deinen Beruf plötzlich unter einem ganz anderen Vorzeichen siehst. Jemand, der in einem Heilberuf tätig ist, empfindet vielleicht starke Zuneigung und Mitgefühl Patienten gegenüber, obwohl er früher auf emotionale Distanz gegangen ist. In Ergänzung des üblichen Lehrplanes hilft ein Lehrer seinen Schülern unter Umständen, ihre Gefühle und Ängste konstruktiv auszudrücken. Lebensmittelkontrolleure können jenen, für die sie eigentlich da sind, die Gabe der Liebe zuteil werden lassen. Viele Aufgaben lassen genug Freiraum für innige Gebete. Du kannst also während der Arbeit ruhig einmal sagen „Führe mich meiner Bestimmung zu!" Was Du tust, ist nicht so wichtig wie die Art, in der Du es tust."

Musik: Melissa Manchester: „Through the Eyes of Love" aus dem Album *Ice Castles*
Merlin's Magic: „Wurzel-Chakra" aus dem Album *Chakra Meditation*

28

Charmiene

HARMONIE

Gute Gedanken bringen gute Taten hervor,
und böse Gedanke bringen böse Taten hervor.
Der Haß kann Haß nicht überwinden;
allein die Liebe überwindet ihn.
Buddha

Charmiene umgibt Dich mit einem tiefen Harmonieempfinden, so wie Dich etwa die Mutter in eine Decke voller Liebe hüllt. Die ungeheure Heilkraft dieser liebevollen Umarmung gründet sich auf die Liebe zu Dir selbst und auf die Akzeptanz Deiner selbst. Selbst der gepeinigtsten Seele wird es möglich sein, die Gefühle von Angst und Qual loszulassen, wenn umfassende Akzeptanz und Selbstwertgefühl vorhanden sind. Rufe Dir einmal einen Zeitpunkt ins Gedächtnis, an dem Dein Leid so ungeheuerlich war, daß Du es nicht länger ertragen konntest. Vielleicht hieltest Du es so fest umklammert, daß erst Liebe und Akzptanz Dir ein Gefühl der Sicherheit vermittelten und Du loslassen und an jemandes Schulter weinen konntest wie ein Baby.

Bist Du nicht imstande, Dir Gehör zu verschaffen und die Wahrheit zu sagen, verleugnest Du Deine Gefühle. Hast Du Angst davor, nicht mehr geliebt zu werden, wenn Du die Wahrheit sagst? Davor, Deinen Job zu verlieren oder die versprochene Gehaltserhöhung nicht zu bekommen? Oder daß Du Wunden davontragen wirst? Wenn Du Deine Gefühle als gut oder schlecht abstempelst und sie unterdrückst, baut sich ein Druck auf, der irgendwann abgelassen werden muß. Die Meinungen in Deinem Umfeld verstärken gar noch das Gefühl der Schande und Wertlosigkeit. Innere Konflikte wühlen Dich so auf, daß selbst die banalsten Situationen dazu betitragen, Deinen Ängsten und Zweifeln neue Nahrung zu geben.

Schuld an diesem Kampf ist der Dualimus. Deine Seele besteht aus lauter gegensätzlichen Prinzipien, und der Sinn des Lebens besteht darin, das Gleichgewicht zwischen ihnen herzustellen: zwischen dem männlichen und weiblichen Prinzip, zwischen Liebe und Haß, Freude und Trauer, Glück und Leid. Du bist immer wieder gezwungen, Dich für eines zu entscheiden, und gerätst dann seinem Gegenstück in die Fänge, wenn leidenschaftliche Liebe in Haß umschlägt oder Deine guten Absichten ins Gegenteil umschlagen. Weigerst Du Dich, Dich festzulegen, dann herrscht Verwirrung allenthalben und Du fühlst Dich wie gelähmt und völlig machtlos. Es ist an der Zeit, diesen Dualismus von einem anderen Standpunkt aus zu betrachten. Wir alle vereinen gute und schlechte Gefühle in uns. Unbehagen führt dazu, daß ein Gefühl als schlecht abgestempelt wird. Du mußt lernen, auch die unangenehmen Gefühle als wichtige Boten zu akzeptieren. Nur in der Ausgewogenheit wahrhaftigen und konstruktiven Ausdrucks wird sich ein Gefühl der Harmonie einstellen.

Bitte Charmiene um Geleit auf Deiner Reise der Harmonie entgegen und darum, Dir mit Hilfe der Zuneigung zu Dir selbst den rechten Weg weisen. Der erste Schritt besteht in der Bereitschaft, zu erfahren, welche Gefühle damit verbunden sind, man selbst zu sein. Für jemanden, der sich gerade in einer Krisensituation befindet, ist diese Erfahrung vielleicht überwältigend. Du darfst Dich nicht wie gelähmt fühlen oder so tun, als wäre alles in Ordnung, wenn es Dich mit Angst erfüllt, Dich Deinen Gefühlen zu stellen. Es ist allerdings auch nicht ratsam, eine negative Haltung an den Tag zu legen, indem man sich etwa beklagt, an allem etwas auszusetzen und zu kritisieren hat und nur erreicht, daß sich alle anderen genauso erbärmlich fühlen wie man selbst. Lasse den Mut nicht sinken, denn der Lohn für die Überwindung Deiner Ängste wird einzigartig sein.

Selbstverleugnung führt zu einer Spaltung Deines Bewußtseins, indem die Wesenszüge Deiner selbst, die Du nicht akzeptierst, ins Unbewußte abgedrängt werden. Du mußt Dir fest vornehmen, dieser Selbstverleugnung ein Ende zu bereiten und willens sein, diese unwillkommenen Teile Deiner selbst zu lieben, da sie zu einem wahren Gefühlsballast für Dich geworden sind. Tief aus dem Inneren Deines Herzens werden sich dann Gelegenheiten bieten – sie treten in Form unangenehmer Reflexionen Deiner selbst im Verhalten anderer Menschen auf. Sobald Du in der Lage bist, eine Krisensituation und eine Leidenszeit als Chance für Wandlung und Wachstum zu begreifen, hast Du mit der Arbeit begonnen.

Schmerzen aus der Vergangenheit sind in Deinem Körper eingelagert, und sie können sich in Gestalt von Krankheiten offenbaren; Deine Emotionen bergen negative Gefühle, die als Fragen, Ängste und Verhaltensweisen an die Oberfläche kommen; Dein Herz umschließt verlorene Liebe, was in Einsamkeit mündet; und Dein Geist birgt Mißverständnisse, Vorurteile und Überzeugungen. Diese Teile Deines Körpers sind also Koffern vergleichbar, die mit unerwünschten Emotionen vollgepackt und verschlossen sind und irgendwo vergessen in einem Schrank stehen. Dein Ewiges Ich und Charmiene helfen Dir, indem sie Dir genau die Situationen bescheren, derer es bedarf, um diese längst aufgegebenen Teile zu akzeptieren und wieder in Deine liebenden Arme zu schließen. Dies braucht Zeit, weil Du über mehr solcher Koffer verfügst, als Du Dir eingestehen möchtest. Jedesmal, wenn Du den Mut hast, Dich der Selbstverleugnung zu stellen und die Heilung einsetzen zu lassen, wirst Du auf noch mehr Harmonie in Dir selbst stoßen, bis schließlich der Morgen des Tages heraufzieht, an dem Du mit der kraftvollen Gegenwart Deines Ewigen Ichs erfüllt bist. Du bist nun frei, auf das Leben zu reagieren – angemessen, spontan und voller Nächstenliebe. Dabei läßt Du Dich nicht mehr von den Einflüssen der Vergangenheit, sondern von der Wahrheit leiten.

Öffne Deinen Geist, wenn Du Deine gegenwärtigen Lebensumstände einer kritischen Betrachtung unterziehst, und sei bereit, das Bild im Ganzen wahrzunehmen. Ersuche Charmiene darum, sie möge Dir auf Deiner Suche nach Harmonie zur Seite stehen. Bist Du Dir selbst in Liebe zugetan, so kannst Du auf Deinem Weg viel leichter voranschreiten.

Musik: Raphael: „Heaven“ aus dem Album *Music to Disappear In II*
Claude Debussy: „Clair de Lune“
Merlin's Magic: „Hals-Chakra“ aus dem Album *Chakra Meditation*
Merlin's Magic: das Album *The Spirit of Libra*

29

Remliel

ERWACHEN

Ich kann euch sagen,
daß volle Bewußtheit für keinen leicht zu erreichen ist.
Es ist sehr, sehr schwer,
und es hängt nur von eurem Willen ab.
Gourasana

SCHLAFENDE ERWACHT! Jeder von uns hat eine andere Vorstellung davon, was Erwachen eigentlich bedeutet. Die Essenz dessen, was wir alle suchen, ist göttliche Liebe und die Freiheit von Leid und Leiden. Remliel ist der Engel, der für unser Erwachen verantwortlich ist, und seine Aufgabe beteht darin, Dich zum Gott-Bewußtsein und zur Verschmelzung mit Deinem Ewigen Ich zu bringen. Er beschert Dir alles, dessen Du bedarfst, um den Kampf ausfechten zu können – den Kampf zwischen Licht und Illusion, dem Geist und dem Fleisch. Wenn Du zu der Fülle inneren Empfindens und innerer Weisheit erwachst, offenbart Dir eine gewaltige Woge der Leidenschaft Deinen Göttlichen Plan. Gefühle der Liebe, Sinnlichkeit, Dankbarkeit und Freude werden mit neuem Leben solcher Intensität erfüllt, wie Dein früheres Bewußtsein es sich nie vorzustellen vermocht hätte.

Die Begriffe Erwachen, Bewußtheit und Erleuchtung lassen

dieses Erlebnis erahnen, wenn man sich einmal ihre Gegenstücke vergegenwärtigt. Im Laufe der Menschheitsgeschichte wurde uns irgendwann einmal beigebracht zu verleugnen, daß wir wissen, was in und um uns herum vorgeht. Also gaben wir lange Zeit vor, zu schlafen, uns weniger Dinge bewußt zu sein und vor vielem unsere Augen zu verschließen; und daher büßten wir die Erinnerung an unsere wahre Existenz ein. Heute gilt es als unhöflich, durch schonungslose Offenheit die Gefühle anderer Menschen zu verletzen, auch wenn diese Aufrichtigkeit die Situation zum Besseren wenden könnte. Statt dessen tun wir so, als würden wir nichts bemerken, oder wir nehmen eine Chance zu erneuter Vereinigung voller Liebe und Verständnis einfach nicht wahr.

Das Erwachen setzt ein, wenn einem immer mehr Dinge auffallen, die man normalerweise nicht beachtet. Der Prozeß der Selbstverleugnung geht normalerweise so rasch vonstatten, daß er anfangs nur schwer zu unterbinden ist. Es ist diese kaum merkliche Andeutung eines Gefühls, das man sofort mit einem angenehmeren Gedanken beiseite schiebt; eine plötzliche Eingebung, die man für unsinnig hält; die Gegenwart von Größe, die Dich Deine Unwürdigkeit nicht empfangen läßt; und echte Abneigung, die zu leugnen Deine Schuldgefühle Dich zwingen. Der Verstand möchte Dich glauben machen, daß das Erwachen aus dem erwächst, was Du weißt, obwohl es sich dabei doch nicht um eine Reise durch den Verstand handelt. Kommen Zweifel und Mißtrauen in Dir hoch, so stehe dazu. Versuche herauszufinden, ob sie von wahrer Einsicht zeugen oder nur vergangene Beschränkungen darstellen, die zum Zweck der Transformation in Dir aufsteigen.

Bist Du zur spirituellen Beflügelung bereit, so ruft Dein Schutzengel Remliel an Deine Seite, damit er in dieser beschwerlichen Phase der Reinigung und Selbst-Offenbarung über Dich wacht. Dabei schafft Remliel die besten Voraussetzungen und Bedingungen für Dein Wachstum, indem er Dir hilft, Dich Deinen persönlichen Dämonen und Illusionen zu stellen, die Du bisher verleugnet hast – also allem, was Dich davon abgeschirmt hat, Gottes Liebe am eigenen Leib zu spüren. Während er Dich auf Deiner Reise in Dich selbst geleitet, ist Remliel auch eine große Informationsquelle, wenn Du diese Monster als Teil Deiner selbst akzeptierst und sie mit Hilfe der Liebe, die Du für Dich selbst empfindest, umwandelst. Der äußere Kampf und Krisensituationen sind dazu da, Dir das Verhaltensmuster Deiner Urteilsfindung deutlich zu machen, was sich oft in Form unerwünschten Verhaltens seitens der anderen niederschlägt. Deine Bereitschaft, in Dich zu gehen, wird zu einer Lösung beitragen. Schließe den Kreis, indem Du Taten folgen läßt, die sich auf Deine neue Bewußtheit und Nächstenliebe gründen.

Tief in uns drinnen gibt es einen dunklen und furchtgebietenden Ort, den wir auf unserer Heimkehr passieren müssen. Dorthin hat sich unser ganzer Zorn verkrochen – der Zorn darüber, daß wir uns von dem, was wir wirklich empfinden, so entzweien müssen. Hier schlummert auch die ganze Verzweiflung und der Schrecken darüber, daß wir die Erde als leibhaftige Hölle erleben müssen. Diese Erkenntnis ist so tiefgreifend und schaurig, daß es zunächst einer starken und persönlichen Verbindung zu Gott bedarf, damit wir den Mut aufbringen, ihr ins Gesicht zu sehen. Erst wenn Du wahrhaft bereit bist, wird Remliel Dich dorthin führen. Ist die Zeit gekommen, so versichere Dich der Unterstützung all derer, die Dich lieben, und eines Menschen, der diese Konfrontation schon hinter sich hat.

Der Heilige Johannes vom Kreuz beschrieb es folgendermaßen, wie die dunkle Nacht der Seele hereinbricht, wenn es Gott danach verlangt, Dich eins werden zu lassen mit dem Göttlichen Geist: „In einer dunklen Nacht, entfacht in Liebe voller Sehnen – o seliges Geschick!“ Dies ist die Zeit völliger Hingabe und tiefer Dankbarkeit. Dein ganzes Sehnen soll Gott gelten und nur Ihm allein, denn nur die Liebe wird Dich ans andere Ufer bringen und Deine Verzweiflung in das allmächtige Gefühl der Zuneigung zu Dir selbst umwandeln. Es bedarf großen Mutes, um sich diesem unvorstellbaren Schmerz auszusetzen, aber es ist die einzige Möglichkeit, um ihn endgültig zu überwinden. Bist Du erst am anderen Ufer angelangt, hat die Intensität dieses Erlebnisses den Weg bereitet für ungeahnte Segnungen, für einen wahren Freudentaumel, der Dich erkennen läßt, daß Du heimgekehrt bist. Und damit hast Du den Himmel in Dir selbst entdeckt.

Steigst Du ins Licht empor, wacht Remliel über das Strecken und die Ausdehnung Deines Mentalkörpers, damit all seine Strömungen und Frequenzen auf Gott gerichtet sind. Sobald die Illusionen ausgeräumt sind, kann eine neue Bewußtheit an ihre Stelle treten. Erwacht zu sein bedeutet, daß Du alles, ob gut oder schlecht, *„mit kristallklarem, geschärftem Bewußtsein empfindest, ... das alle Einzelheiten der Schöpfung durchdringt.“* (A Handbook of Angels, Seite 159). Dies ist erst dann möglich, wenn Du ein reines Medium für das Gott-Bewußtsein Deines Ewigen Ichs geworden bist. Du mußt willens sein, Dich durch alles hindurchzuarbeiten, das dieser Bewußtheit im Wege steht. Laß Dir den Weg von Remliel und Gott weisen.

Musik: John Astin: „Opening“ aus dem Album *Remembrance*
Styx: „Show Me the Way“ aus dem Album *Edge of the Century*
Merlin's Magic: das Album *The Spirit of Scorpio*
Merlin's Magic: „Kronen-Chakra“ aus dem Album *Chakra Meditation*

30

Uzziel

GLAUBEN

Denn es gefiel dem Herrn, sich mir zu offenbaren.
Er hat das Innere meines Verstandes oder Geistes geöffnet –
in der spirituellen Welt der Engel
wie auch in der natürlichen Welt des Menschen...
Emanuel Swedenborg, *De amore coniugali*

Uzziel bedeutet soviel wie „die Kraft Gottes", die Dir in Deinem Leben die Essenz Gottes und die Macht des Glaubens offenbart. Wenn Du Uzziel einlädst, Dich mit Glauben zu segnen, wird sich Dein spirituelles Wachstum beschleunigen und Friede Dein Herz erfüllen. Der Glaube wirkt in einem Reich jenseits menschlichen Verständnisses und Fassungsvermögens. Es bedarf ungeheuren Glaubens, um Dich in die Lage zu versetzen, Deinen Verstand hinter Dir zu lassen und eine Verbindung zu dem Ewigen Wissen herzustellen. Bitte Uzziel, er möge Dir zeigen, wie Du die drei Göttlichen Prinzipien Liebe, Hingabe und Dankbarkeit wirken und zu der dynamischen Schwingung werden lassen kannst, die den Geist magnetisch anzieht und so Deine Vereinigung mit Gott ermöglicht.

Glaube ist das innere Wissen, das Dich dazu inspiriert, Dich pflichtbewußt, korrekt und aufrichtig zu verhalten. Eine abwartende Haltung läßt seine kraftvolle Energie dahinschwinden; das rechte Handeln dagegen verstärkt sie. Im Gegensatz zu äußeren Gedanken, triffst Du nur ganz tief in Dir drinnen auf den wahren Glauben, der Deine Taten und Empfindungen auf Dein angestrebtes Ziel lenkt. Durch unseren Glauben schützen uns die Engel, indem sie die Wahrnehmungen anderer, die uns verletzen würden, in eine andere Richtung lenken oder positiv beeinflussen, so daß schließlich eine Atmosphäre herrscht, in der es weder Sorgen noch Zweifel oder Ängste gibt.

Man ist dann von einer Lehre überzeugt, wenn man sie als wahr akzeptiert oder erachtet. Bevor das Herz jedoch geöffnet ist, wird man von Überzeugungen eher eingeengt und eingeschränkt. Man kann Gefangener seiner Überzeugungen sein, die einen noch dazu anderen Menschen entzweien. Wird sie dagegen gehegt und gepflegt, so kann eine Überzeugung gar zu echtem Glauben werden, der das Herz öffnet, auf daß Liebe einströme. Bist Du wahrlich eins mit Deinem Glauben, kann Dich kein Einfluß der äußeren Welt aus dem Gleichgewicht bringen.

Die andere Seite des Glaubens ist sein zerstörerisches Potential. Glaubst Du an die Armut, so wirst Du in Deinem Überlebenskampf gefangen sein; Glaubst Du an einengende Zwänge, so wird es Dir verwehrt bleiben, Deine wahren Talente zutage zu fördern und zu nutzen. Der Glaube an die Tragik des Lebens wird genau die unerwünschten Situationen heraufbeschwören, die Du so fürchtest. Der Glaube an Deine Wertlosigkeit läßt Dich Deine Größe nicht erkennen. Du mußt Deine Einstellung von Grund auf ändern und die Macht Deines Glaubens nach innen richten – auf Dein Ewiges Ich und die Vereinigung mit Gott.

Noch verhängnisvoller ist es, den Glauben zu verlieren und gar gegen Gott anzukämpfen. Wenn Du an der Grausamkeit der Welt zu verzweifeln drohst and nach der Gerechtigkeit schreist, die einfach nicht geübt wird, dann stellst Du die Existenz des Göttlichen in Frage und bist außer Dir vor Wut. Als wir auf die Erde herabstiegen, zerriß uns der Irrglaube an die Trennung von userem Schöpfer das Herz. Diesen Schmerz völlig zu verbergen, gelingt uns so gut, daß sich nur wenige seiner Existenz überhaupt bewußt sind. Wie konnte Gott mich hier zurücklassen? Hört er mein Rufen nicht, fühlt er meinen Schmerz denn nicht?

Diese dunkle Nacht der Seele ist die Essenz unseres gefahrvollen aber dennoch notwendigen Kampfes, um erneut die Verbindung zum Großen Geist herzustellen. Fehlt Dir der Mut, Dich dem Trennungsschmerz zu stellen, der allen anderen Schmerzen zugrunde liegt, wirst Du Gott nie wirklich erfahren. Allerdings besteht das Risiko, nicht mehr aus der Verzweiflung herauszufinden. Wenn Du ganz bewußt tief genug in Deine Wut und das Grauen eintauchst und Gott mit der ganzen Leidenschaft Deines Herzens anrufst, wird Dein Ruf erhört werden. Auf einmal ist Dein Bewußtsein erweitert, und Du wirst mit der unvorstellbar machtvollen Gegenwart des Herrn erfüllt. Du kannst die Probleme zwar immer noch sehen, näherst Dich ihnen nun aber unter dem Aspekt des Mitgefühls.

Es gibt eine Geschichte, in der Jakob mit dem Engel Uzziel rang. Jakob fürchtete um sein Leben, denn Esau, ein grober Mensch, trachtete danach, ihn zu töten. Für Jakob gab es zwei Möglichkeiten – er konnte, wie schon oft zuvor, versuchen, eine schlaue Lösung zu finden, oder er konnte aufgeben und sich vor Gott geschlagen geben. Die ganze Nacht kämpfte Jakob mit dem Engel – als Symbol für den spirituellen Kampf, den er ausfocht –, und ging aus der Schlacht mit einem neuen Namen hervor, dem er die Macht seines Glaubens geopfert hatte. Ist das nicht unser aller Dilemma? Sollte ich es selbst in die Hand nehmen und leiden oder soll ich aufgeben? Nicht immer ist mein Ruf in der Vergangenheit erhört worden – was, wenn Gott mich im Stich läßt?

Zweifel sind heimtückisch, indem sie sich in Dein Bewußtsein schleichen, um einen Keil zwischen Dich und Deinen Glauben zu treiben. Manche Zweifel sind positiv zu sehen, weil sie die Stimme Deiner inneren Erkenntnis sind, die Dir mitteilt, daß irgend etwas nicht gut für dich ist. Den Unterschied kannst Du nur feststellen, wenn Du Deinen Gefühlen und Deiner inneren Weisheit trauen kannst und all die düsteren Stimmen vertrieben hast, die Äußerungen Deines Irrglaubens sind. Bis es soweit ist, sei auf der Hut vor Zweifeln, da sie sich zu zersetzendem, selbstzerstörerischem Mißtrauen ausweiten und Dich Deiner Wahrheit entfernen können.

Der Glaube, daß Du eins sein kannst mit Gott, ist die magnetische Kraft, die Dich zur Verschmelzung mit Deinem Ewigen Ich führen wird. Die Kraft des Glaubens steht jedem offen, und dennoch setzen nur wenige diese auch bewußt ein. Rufe Uzziel an, Dich zu erfüllen und den Hunger in Dir zu wecken, der sich mit nichts stillen läßt außer der persönlichen Erkenntnis des leibhaftigen Gottes.

Musik: Michael Jackson: „Keep the Faith“ aus dem Album
Dangerous
Styx: „Show Me the Way“ aus dem Album
Edge of the Century
James Taylor: „Shed a Little Light“ aus dem Album
New Moon Shine
Kenny Loggins: „Leap of Faith“ aus dem Album
Leap of Faith
Merlin's Magic: das Album T*he Spirit of Leo*

Die Seraphim

31

Sandalphon

MACHT

Liebe ist der Schlüssel allen Wissens, aller Weisheit, aller Macht.
Tauche tief in diese Liebe ein,
und du wirst mit Gotttes Augen sehen.
Aus dem Buch *Christ in You*

Sandalphon ist ein Engelfürst. Er wacht über all die Mächte, die den Seraphim zueigen sind – Kraft etwa, Reichtum, Schönheit und Lebensfreude. So viele verschiedene Mächte sind ihnen zugedacht, daß eine große Zahl der Seraphim sich schuldig fühlten, weil sie so viel besser gestellt sind als andere Engel. Im Laufe der Zeit gewannen Schuld- und Angstgefühle die Oberhand und bewirkten so den Verlust einer Reihe ihrer kostbaren Gaben. Bist Du je Opfer von Gewalt oder sexuellem Mißbrauch gewesen; bist Du jemals eine Beziehung eingegangen, die manipulativ oder zerstörerisch war; oder hattest Du jemals einen Job, in dem Dein Chef Dich herabwürdigte? All dies sind Symptome dafür, daß Du Dich vor Deiner eigenen Macht fürchtest.

Unsere Emotionen bergen Macht – die Macht, Liebe ganz intensiv zu erleben, die Verbindung zu Gott zu spüren, unserer Bestimmung gerecht zu werden, reicher Fülle zuteil zu werden, die Wahrheit zu kennen und ihr auch Ausdruck zu verleihen und schließlich über einen stets gesunden Körper zu verfügen. Manche Seraphim sind mit erstaunlichen Gaben gesegnet wie zum Beispiel der Macht, andere heilen zu können, die Naturgewalten zu lenken,

Dinge zu offenbaren oder zu zerstören, mit allen Sinnen andere Dimensionen wahrnehmen zu können und in die Zukunft zu blikken oder sich der Vergangenheit erinnern zu können. Wenn Du genügend Ängste aus dem Weg geräumt hast, wirst Du wissen, welche dieser Gaben Dein sind, und Du wirst bereit sein, sie zu empfangen. Bitte Sandalphon während dieses Prozesses um Weisheit und die Gabe, Dir selbst verzeihen zu können.

Du entdeckst aufs neue Deine Fähigkeit zu lieben. Nun mußt Du lernen, sie sich von selbst entfalten zu lassen. Hast Du Angst vor bestimmten Fähigkeiten oder Macht; kann es sein, daß Du unbewußt viele Dinge tust, die das bißchen, was Du überhaupt noch empfängst, weiter schmälern, stimulieren oder kontrollieren? Beeinflußt Du Deine Gefühle mit Hilfe von Koffein, Zucker, Zigaretten, Alkohol, Drogen, Streß, Sex, Filmen, zuviel oder zuwenig Schlaf? Verläuft Dein Gefühlsleben wie eine Berg- und Talfahrt? Oder hat die Angst Deine Gefühle bereits auf ein Minimum reduziert, so daß auch Deine Schwingungsfrequenz verlangsamt ist und Du Dich schließlich wie ein lebender Toter verhältst? Wenn Du heftige negative Emotionen verspürst, dann jagen Dir diese Gefühle durch den Körper, und Du versuchst erneut, alle Empfindungen zu minimieren. Die Stärke emotionaler Schwingungen wird Dir, wenn Du sie Dir bewußt zunutze machst, helfen, alte Wunden und Überzeugungen aufbrechen zu lassen. Dies ist Teil Deiner natürlichen Heilkraft.

Die Seraphim neigen dazu, sich selbst sehr kritisch zu sehen und sich nur wenig Zeit zum Lernen und Wachsen zu geben. Erwartest Du stets von Dir, perfekt zu sein? Übe Dich darin, auch einmal in die Rolle des Lernenden zu schlüpfen. Dieser Prozeß geht in Deinen *Gefühlen* vor sich. Dein Verstand kann Dir eine Orientierungshilfe sein und Dich lenken, aber allein Deine Gefühle werden Dir sagen, was wirklich wahr ist.

Auch heute noch vertreten viele Menschen althergebrachte Meinungen zu Fragen der Macht. Die Riege ehemaliger Elitestudenten will uns weismachen, daß ein gesetzter, weißer Vertreter einer bestimmten sozio-ökonomischen Schicht mehr Macht hat als sonst irgend jemand. Bist Du weiblichen Geschlechts, zählst Du die Ureinwohner Amerikas zu Deinen Vorfahren oder gehörst einer ethnischen Minderheit an, bist Du arm oder der unteren Mittelschicht zuzurechnen – wie sieht es mit Deiner Macht aus? Bist Du weiß und wohlhabend, fühlst Du Dich schuldig, weil Du soviel besser gestellt bist als andere? Hast Du der materiellen Welt entsagt oder zu einem Lebensstil gefunden, der Dich vorgeben läßt, all dies sei bedeutungslos?

Ersuche Sandalphon, er möge Dich durch Deine Lebensgeschichte führen, damit Du Dir klar wirst, was Du zu tun hast. Gehe Deinen Ängsten auf den Grund und spüre alles auf, was zu Deiner Unausgewogenheit beiträgt, und arbeite Dich hindurch. Indem Du Deinen wahren Gefühlen ein Ventil bietest und emotionale Wunden aufbrechen läßt, wirst Du Deiner Macht ermöglichen, Dich wieder auszufüllen. Damit sie sich allerdings auch einstellt, mußt Du sie wirklich wollen. Darüber hinaus mußt Du Dich von Deinen Ängsten und Schuldgefühlen freimachen, damit Du die Macht auch tatsächlich im Einklang mit Deinem Göttlichen Plan einsetzen kannst. Wenn du ein Seraphim bist, bist Du sicher ein Freund großen Zeremoniells. Laß Dir Zeremonien einfallen, mit deren Hilfe Du Dir die Wahrheit vergegenwärtigst und Deine Macht zurückforderst und erlangst. Die Welt wartet nur darauf, daß Du Deine Macht wiederfindest und sie umsichtig einsetzt. Bitte Sandalphon wiederholt um Geleit.

Musik: Joseph Haydn: „Die Himmel erzählen“ aus *Die Schöpfung*
Luther Vandross: „Power of Love/Love Power“ aus dem Album *Power of Love*
Merlin's Magic: „Sakral-Chakra“ aus dem Album *Chakra Meditation*

32

Nisroc

FREIHEIT

Ein Steinwall macht doch kein Gefängnis,
noch die Eisenstang' den Käfig;
Nur wes Geist in Unschuld und in Stille,
empfände dies als selig;
Hab' ich in Liebe meine Freiheit, bin ich im Geiste frei,
Und doch dies bloß der Engel Los im Himmel droben sei.
Richard Lovelace: *An Althea: Briefe aus der Gefangenschaft*

Nisroc ist als „großer Adler" bekannt. Sein Aufstieg in die Himmelslüfte ist das Symbol für Freiheit. Physisch gesehen hast Du die Freiheit zu reisen, wohin Du willst und wo Du Dich sicher und geborgen fühlst; es steht Dir frei zu sagen, was Du denkst; und Du kannst die Weichen für Dein Leben stellen. Dringst Du jedoch weiter in Dein Bewußtsein ein, so bedeutet Freiheit schließlich, die bedingungslose Liebe des Ewigen zu spüren.

Freiheit ist das innere Wissen, wer Du wirklich bist und warum Du eigentlich hier auf Erden verweilst. Du bist ausgeglichen, fühlst Dich sicher und geliebt, hast die Fesseln von Schuld, Furcht, Unwürdigkeit, Wut und Eifersucht abgeworfen. An ihrer Stelle regieren nun Liebe, Mitgefühl und Weisheit. Wenn Du Dich schließlich der Aufgabe widmest, deretwegen Du hierher gesandt wurdest, folgst Du dem Ruf Deines Ewigen Ichs. Der Tod hat Dich nicht länger in seinen Klauen. Vielmehr erfüllt Dich der Gedanke, Deinen Körper zurückzulassen, mit unvorstellbarer Glückseligkeit, wenn Dich nun die Wogen der Liebe gänzlich umspülen und in die Heimat tragen. Und doch bereitet es Dir Freude, hier auf Erden zu verweilen und zu Diensten zu sein, solange dies dem göttlichen Willen entspricht.

Unterdrückte Gefühle untermauern die Fähigkeit Deines Nervensystems, die Ekstase und Glückseligkeit zu erleben, die aus der

Vereinigung mit dem Ewigen hervorgehen. Nisroc ist die Macht zueigen, tiefsitzende Empfindungen, von deren Existenz Du nicht einmal etwas ahnst, freizulegen – die Gitterstäbe Deines selbstgebauten Gefängnisses. Dieser Gefühlsballast schlägt sich in Form vorgefertigter Meinungen und Vorurteile darüber nieder, wie das Leben eigentlich sein sollte und man sich selbst verhalten müßte.

Unter die Illusionen fallen auch selbstzerstörerische Angewohnheiten wie etwa Rauchen und Freßsucht, die Deinem Empfindungsvermögen abträglich sind; des weiteren auch die Art und Weise, wie Du Deinen Energiefluß mit Hilfe von Alkohol, Drogen, Zukker und Koffein manipulierst; ebenso wie mentale Verhaltensmuster nach Art negativer Selbst-Gespräche; Streßverhalten etwa oder unterdrückte Furcht und Wut, was sich ganz unterschwellig auf Deine Interaktion mit anderen auswirkt. Anfangs sind Illusionen nur shwer auszumachen. Mit ein bißchen Übung wirst Du jedoch erkennen, welche Kontrolle sie über die Menschen, die Dir in Freundschaft oder Liebe zugetan sind, ausüben. Und schließlich wird es Dir auffallen, wenn sie in Deinem Leben ihre Finger im Spiel haben. Dazu braucht man Mut, Durchhaltevermögen und das starke Verlangen, auf dem Pfad der Wahrheit zu wandeln.

Mach' Dich von allem frei! Ist man unfreiwillig in irgendeine Situation geraten, so stellt das oft die beste Gelegenheit dar, ein Vorurteil oder eine vorgefaßte Überzeugung auszumachen, von der man sich bedenkenlos freimachen kann. Einzig Deine Gefühle bieten Dir die Möglichkeit, von diesen Vorurteilen loszukommen. Du mußt bereit sein, die unterdrückten Erinnerungen an Mißbrauch und Täuschung in Dir hochsteigen zu lassen. Dies kann in Form eines Traumes oder plötzlichen Wachtraumes geschehen, sie können sich aber genausogut als aktuelle Lebenssituation manifestieren. Achte einmal auf die Welt, die Dich umgibt. Was empfindest Du, wenn Du die Nachrichten anschaust? Wie gehen Deine Familie und Deine Freunde mit Dir um? Was geschieht auf der Arbeit mit Dir? Welche Gefühle vermittelt Dir Dein Besitz – Dein Heim, Dein Auto, Deine Kleidung und so weiter? Fühlen Sie sich wie ein Teil Deiner selbst an? Wie gehst Du mit Dir selber um? Du mußt willens sein, die Auswirkungen in Deinem Inneren stark zu empfinden. Wo läuft das Ganze in Deinem Körper ab? Scheust Du davor zurück, es stark zu empfinden, dann bitte um Mut und Kraft. Sobald Du erst bereit bist, Schmerzen nicht länger zu verleugnen, sondern zu akzeptieren, kann Gott Dir Umwandlungsliebe zuteil werden lassen, um Dein gebrochenes Herz und Deinen Körper zu heilen. Sind Schmerz und Vorurteile erst einmal gewichen, so können an ihre Stelle Liebe, Kreativität, Friede oder sonst ein Prinzip treten, das Du Dir herbeisehnst.

Wenn Du den Mut hast, Dich der Intensität dieser unterdrückten Gefühle zu stellen, und einen Durchbruch erzielen kannst, wird Nisroc Dich mit dem erhabenen Gefühl des Triumphs erfüllen. Wenn Du auf den Schwingen seiner Wahrheit getragen wirst, gelangst Du zu der Freiheit, Dein Ewiges Ich zu offenbaren.

Musik: Elton John: „The One" aus dem Album *The On*
John Astin: „There is a Light" aus dem Album *Remembrance*
Pointer Sisters: „Freedom" aus dem Album *Greatest Hits*
Merlin's Magic: das Album *The Spirit of Sagittarius*
Merlin's Magic: das Album *The Spirit of Leo*
The Gyonto Monks: das Album *Freedom Chants From the Roof of the World*

33
Hamied
WUNDER

Wunder und die Natur sind an sich nichts Widersprüchliches; sie stehen lediglich zu dem im Widerspruch, was uns von der Natur bekannt ist.

Der Heilige Augustin

Hamied ist der glorreiche Wunderengel. Er ist von so strahlendem Weiß, daß man nur seine unglaublichen Augen hindurchleuchten sehen kann. Wenn Du spürst, wie Dich seine Gegenwart umfängt, dann öffne Dein Herz, um seine Gabe innigster Liebe zu empfangen. Hamied ist Träger der Essenz des Christus-Lichts. Hamied wacht über Dich und harrt der Augenblicke, in denen er Dein Leben durch ein Wunder verändern kann. Seine Mission besteht darin, die Erinnerung an Deine Göttlichkeit mit Hilfe seines eigenen Vorbildes wachzurufen. Uns mögen viele Dinge, an die sich unser starrer Verstand nicht mehr erinnern kann, als Wunder erscheinen. Hamieds Liebe zeigt sich auch in Gefahrensituationen, wenn plötzlich etwas völlig Unerwartetes zu Deiner Rettung geschieht. Bei Deiner Arbeit oder in der Beziehung zu Deiner Familie stößt Du vielleicht auf ein unüberwindliches Hindernis, und unter Umständen präsentiert sich aus heiterem Himmel eine gangbare Alternative oder eine Einigung zu Deinen Gunsten. Es kann auch sein, daß die Ärzte Dir oder jemandem, den Du liebst, überhaupt keine Überlebenschancen mehr geben, und am nächsten Morgen wendet sich gar alles zum Guten.

Das Engelbewußtsein entzieht sich unserem Verständnis, und daher betrachten wir die Taten und Segnungen der Engel als Wunder. Du mußt offen sein, um diese Wunder auf Dich zu lenken und ihrer teilhaftig zu werden. In Krisensituationen, wenn Du Gott verzweifelt anrufst, tritt Hamied gerne auf den Plan. Und wenn Du nur daran denkst, ihn darum zu bitten, so wird er Dir auch in

Zeiten der Freude Segen und Wunder zuhauf bescheren. Du kannst um alles bitten – angefangen bei einer Parklücke bis hin zum langersehnten Baby. Rufst Du die Engel nur oft genug an, wird mit der Zeit eine feste Verbindung, das devische Siegel, hergestellt, das Deine Schwingungen in Einklang mit den Engeln bringt und den Kommunikationsfluß erleichtert.

Hamied wartet bloß darauf, Dich in den Glanz seiner einzigartigen Liebe zu hüllen. Wirst Du eins mit ihm, so erfüllt Anbetung Dein Herz, wenn Du erkennst, daß diese Liebe auch die Deine ist! Hamied spiegelt lediglich die Gegenwart Deines Ewigen Ichs wider. Und dies ist das Wunder Deiner Transformation.

Musik: Aeoliah: das Album *Angel Love*
Whitney Houston: „Miracle"
Ennio Morricone: das Album *The Mission*
Tim Wheater: „Unseen Shadows" aus dem Album *Green Dream*

34

Zacharel

HINGABE

Habe Dank, o Herr, daß ich von deinem Geist beseelt bin.
Ruby Nelson, *The Door of Everything*

Zacharel bedeutet soviel wie „im Gedenken Gottes". Wenn Du Dich hingibst, dann vergegenwärtigst Du Dir, daß Du nur ein Teil Gottes bist. Innige Hingabe schafft die Verbindung zu Deinem Ewigen Ich; und dies ist Deine ganz persönliche Manifestation eines bedeutsamen Wesenszuges Gottes. Der größte Irrglaube, dem wir anhängen, geht davon aus, daß wir lediglich das niedere Ich unseres täglichen Lebens sind. Schließlich sind wir gefangen in der Überzeugung, daß wir *tatsächlich* der Gefühlsballast und die Bilder sind, die von unseren Erfahrungen der Vergangenheit hervorgerufen wurden. Du mußt bereit sein, das Ego aufzugeben, und mit ihm die Ansammlung engstirniger, kritischer und negativer Überzeugungen, die Dich den anderen und der Liebe Gottes entzweien.

Der Gedanke der Hingabe ist anfangs furchteinflößend. Haben wir keinerlei Erfahrung damit, können wir es nur mit einem Gefühl der Hilflosigkeit und Verletzlichkeit in Zusammenhang bringen. Solange Du die Gegenwart Gottes noch nicht am eigenen Leib verspürt hast oder Deine Gebete noch nicht erkennbar erhört worden sind, erscheint die Vorstellung an Hingabe gefährlich. Die Macht des Glaubens hilft Dir, den Sprung ins Unbekannte zu wagen. Dein Glaube an die Engel, an eine Macht, die stärker ist als Du, Dein Glaube an die endgültige Wahrheit, an Jesus oder an irgend etwas, was Dir bedeutsam erscheint, wird das Bindeglied darstellen.

Schritt für Schritt wirst Du auf eine ganz persönliche Art lernen, Gott zu spüren, Dein Ewiges Ich oder die Engel. Du empfindest ihre Gegenwart, und Deine Gebete werden erhört. Je besser Du mit ihnen in Kontakt treten und ihre Macht spüren kannst, desto größer wird auch Dein Vertrauen. Bisweilen bist Du gar mit Deinem Ewigen Ich vereint, so daß Dein Streben nach dem Eins-Sein wahr geworden ist. Es kann auch sein, daß Du mit anderen vereint bist. In diesen Augenblicken frohlockt Deine Seele, denn diese Einheit stillt den Durst so, wie nichts anderes es vermag. Später weicht die Energie, und die Mauern, die euch trennen, werden wieder da sein. Wieder einmal fühlst Du Dich allein, verlasen und entzweit.

Unter Hingabe ist letztendlich der Entschluß zu verstehen, die trennenden Mauern ein für allemal niederzureißen, die ewige Vereinigung mit Gott einzugehen. Du rufst Gott nicht länger an, um Dein Leid zu lindern. Der Allmächtige wird zu Deinem Geliebten, Deinem ein und alles. Dein Gebet lautet fortan: „Nimm mich auf, o Herr. Es ist mein Wille, daß dein Wille geschehe in meinem Leben." Du wirst unendliche Erleichterung verspüren, wenn Du den Kampf aufgibst und nicht länger das Einzelwesen bist, sondern in Deinem ewigen Ich wonnig aufgehen kannst. All das Leid, das Du heraufbeschworen hast, indem Du Dich Deinem Schicksal widersetzt hast, ist von Dir genommen, und an seine Stelle tritt unerwartet innige Freude. Du gibst es auf, Dein Leben nach bestimmten Zwängen auszurichten, sondern überantwortest Gott Deine Führung. Zu Deinem großen Erstaunen wird Dein Leben immer unglaublichere Züge annehmen, als Du Dir es je vorzustellen gewagt hättest. Die Essenz Deines Ewigen Ichs ist GROSS, und Dein Schicksal wird es fügen, daß Du Großes bewirken wirst! Ist Dir der Irrglaube Deiner Unwürdigkeit immer noch ein Klotz am Bein, dann bitte um die Einsicht, inwiefern er Dich gefangen hält und Deiner Heimkehr im Wege steht. Die hinterhältige Art ist unvorstellbar, mit der er Dich durchdringt und ein derart engmaschiges Netz knüpft, daß Du Dich nur schwer befreien kannst. In solchen Momenten versucht Dein Ego, den Energiefluß zu kontrollieren. Rufe Zacharel an, er möge Dir helfen, einfach loszulasssen und Dich dem Willen Gottes zu überantworten.

Hingabe ist einer Gratwanderung vergleichbar. Von entscheidener Bedeutung sind Deine Gefühle, von denen Du Dich leiten lassen sollst. Die Liebe würde nicht zulassen, daß Du Dich völlig hingibst und schließlich eine Marionette bist, die nur das tut, was man ihr sagt. Wenn Dich jemand herabwürdigt oder darauf besteht, daß Du Deine Gefühle überwindest, um Dich seinem Willen zu beugen, dann handelt er nicht aus Liebe. Deine wahren Gefühle sind das Bindeglied zu dem, was Gott für Dich will. Mußt Du Opfer bringen und wirst Du Leiden ausgesetzt, so ist das die Folge, wenn Du dich diesem Willen widersetzt, und nicht die Art der Hingabe, die Dich Deiner Wahrheit näherbringt. Bringst Du Opfer, so bedeutet das auch, daß Du Deine Gefühle verleugnest. Schließlich bist Du erbost über Dich selbst und denjenigen, der dieses Opfer von Dir verlangt hat, aufgrund desen Du Dich so schuldig fühlst. Verleiten diese Schuldgefühle Dich zu der Überzeugung, daß ein bestimmtes Verhalten von Dir erwartet wird, dann erkennst Du Deine Wut womöglich nicht einmal. Wahre Hingabe dagegen ist etwas Gutes und vermittelt Dir ein Gefühl, als ob die Last der ganzen Welt von Deinen Schultern genommen wäre. Das, was wahrhaftig ein Teil von Dir ist und Dich mit Leben und Freude erfüllt, wirst Du nie aufgeben müssen!

Setze Dich einmal kritisch mit Deinem Leben auseinander. Richtest Du Dich nach Deinen Gefühlen oder opferst du die Wahrheit, indem Du Dich von Deinem niederen Ich sowie dem ganzen Sammelsurium gewohnheitsmäßiger Verhaltensweisen kontrollieren läßt? Du mußt bereit sein, alles, was Dich bindet, loszulassen – Familie, Freunde, Kinder, Deine Arbeit, Dein Heim, Deine Habseligkeiten und Beschäftigungen. Hier in Deinem irdischen Leben ist alles vegänglich. Diese Bindungen reißen Dich nur in die Tiefe. Natürlich bedeutet das nicht, daß Du alles verschenken und Deine Familie verlassen sollst, um Dich unter die Obdachlosen zu begeben. Nein, Du mußt nur lernen, das, was Dein ist, zu genießen und einzusetzen, ohne daß es über Dich verfügt. Versuche, Deine Beziehungen zu Menschen, die Du liebst und die Dir am Herzen legen, neu zu definieren. Was wahrhaft gut für Dich ist, ist es auch für sie.

Wenn Du langsam lernst, Dich hinzugeben, wirst Du mit der ewigen Liebe erfüllt, die Du so herbeisehnst; und Wogen der Dankbarkeit werden Dich durchfließen, wenn sich die drei Göttlichen Prinzipien vereinen. Dein Geist öffnet sich, um Weisheit jenseits jeden Vorstellungsvermögens einströmen zu lassen. All Deine Wünsche sind befriedigt – das Gefühl des Eins-Seins mit anderen wird sich einstellen. Du verlierst Dein Ich nicht, sondern Du gewinnst Dein ICH. Endlich wirst Du zu dem, was Du wirklich bist und findest all das, wonach Deine Seele dürstet.

Musik: John Astin: „Surrender“ aus dem Album *Remembrance*
Raphael: „Surrender“ aus dem Album *Music to Disappear In II*
Jules Massenet: „Thais: Mediation“ aus dem Album *Dream Melodies*
John Denver: „I Want to Live“
Tänzers Traum: „Mond über den Bergen“ aus dem Album *Sternblüten*

Die Cherubim

35

Ananchel

GNADE

Meine Seele erhebet den Herrn, und mein Geist freuet sich Gottes, meines Heilands.
Lukas 1:46-47

Ananchel bedeutet „Gottes Gande", und sie steht Dir zur Seite, um Dir das Erlebnis eines offenen Herzens zu vermitteln, durch das die Liebe Gottes einströmen kann. Wenn sie Dich in ein Gefühl der Glückseligkeit hüllt, singt jede Zelle Deines Körpers Loblieder auf Gott, und jeder Gedanke ist in Danksagung heimwärtsgerichtet.

Um der Gnade zuteil zu werden, mußt Du Dein Herz öffnen und Dich dem Ewigen darbieten. Gott und die Engel wollen Deiner innigen Liebe und Hingabe teilhaftig werden. Als Gegengabe wirst Du mit einer Liebe bedacht, die man für unmöglich hält, bis man sie am eigenen Leib verspürt. Ein winziger Augenblick in dieser Umarmung reicht schon, und Du weißt, Du hast Deine Heimat gefunden. Du wirst Deinen Kampf einstellen und aufgeben, weil es Dich nach mehr verlangt. Bisweilen wird Dir Gnade auch völlig unerwartet zuteil – sie verweilt nur wenige Augenblicke oder verzückt Dich mehrere Tage lang, nur, um sich dann doch wieder zu verflüchtigen. Ihr Ziel besteht darin, Deine Erinnerung an die Heimat wachzurufen und Dich auf Deinem Weg voranzutreiben.

Die Engel und Dein Ewiges Ich bemühen sich stets darum , Dir den Beistand zuteil werden zu lasen, dessen Du unter Umständen gerade bedarfst, aber es ist ihnen freilich nicht möglich, in ein verschlossenes Herz zu dringen. Der Zustand der Gnade dagegen ermöglicht es ihnen, Dich mit Liebe zu erfüllen, mit Inspiration, Weisheit und Glückseligkeit. Der Erzengel Gabriel hätte der Jungfrau Maria nicht erscheinen und sie an ihre Mission erinnern können, wäre sie nicht voll der Gnade gewesen.

Schuldgefühle verschließen das Herz und verwehren es Dir, Deine wahre Identität zu offenbaren. Wiederholt schlechte Erfahrungen lassen die Vorstellung wachsen, Du könntest nur dem entsprechen, was andere von Dir erwarten. Fühlst Du Dich nicht sicher, wenn Du Deinen Gefühlen Ausdruck verleihst, stauen sie sich bis zur Sättigungsgrenze auf, und Du bist des Empfindens nicht mehr mächtig. Schuldgefühle hetzen Dich weiter, lassen Dich nie zur Ruhe kommen und verlangen stets nach mehr. Nichts ist jemals gut genug, und Du vergißt die Größe Deiner Wahrheit.

Schuldgefühle sind nicht Teil des Bewußtseins, sondern eine Präsenz, die emotionalen Empfindungen im Wege steht, indem sie Deinen Energiefluß unterbindet. Wenn Du dagegen Deinen Gefühlen Ausdruck verleihst, bist Du verstärkt zu Schwingungen fähig und aufnahmebereiter. Schuldgefühle tarnen sich oft in der Art, daß man anderen die Schuld gibt und sich selbst minderwertig oder im Unrecht fühlt; oder sie befallen Deinen Körper in Form von Nacken- oder Kopfschmerzen, wenn Du bestimmte Gefühle gezeigt hast. Du mußt Dir fest vornehmen, Deine wahren Gefühle, wie immer sie auch aussehen mögen, zu erkennen und deutlich zu machen. Empfindungen sind das Geschenk göttlicher Führung – sie sagen Dir, was gut für Dich ist, und was nicht. Je mehr Du bereit bist, die Wahrheit zu Wort kommen zu lassen, desto befreiter wirst Du Dich fühlen. Auf Deinen Reaktionen in bestimmten Situationen wird nicht mehr länger das Gewicht der vergangenen Unterdrückung lasten, sondern sie werden angemessen ausfallen und sich durch Spontaneität auszeichnen. Licht und Liebe werden den Platz einnehmen, an dem bisher die Schuldgefühle schlummerten, und Dein Herz wird sich öffnen, um Ananchels wundersame Strömung voll der Gande zu empfangen.

Musik: J. S. Bach/Charles Gounod: „Ave Maria" aus dem Album *The Heavens are Sounding*
Merlin's Magic: das Album *Reiki*

36

Amarushaya

SEGNUNGEN

Der Herr segne dich und behüte dich;
der Herr lasse sein Angesicht leuchten über dir,
und sei dir gnädig.
Numeri 6:24-25

Zusammen mit ihren segenspendenden Engeln weist Dir Amarushaya den Weg zu spirituellem Zeremoniell und Ritual. Das Ziel einer spirituellen Zeremonie besteht darin, spezielle Energien wachzurufen und auf sich zu lenken – sei es nun die Energie der Heilung, bedingungsloser Liebe oder eindeutiger spiritueller Bestimmung. Amarushaya hilft in der Weise, daß sie den Leiter der Meditationsgruppe mit der Quelle der angestrebten Energieform in Kontakt treten läßt. Dem Zeremoniell fällt dabei die Aufgabe zu, das Medium zu errichten, über das den Teilnehmern die Energie zufließt. Amarushaya ist für den Aufbau der mehrdimensionalen Strukturen zuständig, die die Strahlkraft der Segnung erhöht und verstärkt. Du vermagst die Energieströme, die sie hervorbringt, zu spüren, indem Du einfach nur den Fluß ihres Namens wiederholst – Amarushaya, Amarushaya, Amarushaya.

Segnungen können in vielerlei Gestalt auftreten – als Freunde, Familienmitglieder oder Wohltätigkeitsorganisationen. Man muß sie nur erkennen und dankbar sein. Bisweilen nehmen sie aber auch die Form unerwünschter Situationen an, die Du schließlich aber als bedeutsame Lehrer zu interpretieren lernst, die Dich aus irgendwelchen Fesseln lösen. So kann zum Beispiel eine ernsthafte Erkrankung dazu beitragen, daß Du nicht länger an einem Aspekt Deines Lebens festhältst, der Dir eigentlich sowieso nicht behagte. Während einer Krankheit hast Du vielleicht die Möglichkeit, über Dein Leben nachzudenken und es auf bessere Art zu ordnen. Eine unglückliche Ehe hilft Dir unter Umständen, eine Quelle neuer Stärke auszumachen. Amarushaya kann dazu beitragen, daß Du Dir neuer Chancen und Gaben bewußt wirst, wenn sie Dich lehrt, Dankbarkeit zu empfinden.

Auch im täglichen Leben bieten sich Dir genügend Gelegenheiten, eine schlichte Zeremonie des Segens und der Liebe abzuhalten. Dazu bedarf es gar keiner Ansammlung von Menschen – Du allein genügst vollauf. Je öfter Du zusammen mit den Engeln feierst, desto enger und deutlicher wird Deine Verbindung zu ihnen werden. Bei einem Segen kann es sich schlicht um ein von Herzen kommendes Gebet handeln, um das Anzünden einer Kerze, wenn Du den von Dir ersehnten Wesenszug erbittest, oder um eine förmliche Zeremonie im Sinne einer großen Feier im Freundeskreis.

Jeder Ort, an dem Du Dich relativ viel aufhältst, hat Einfluß auf Dein Empfinden, Deine Denk- und Verhaltensweisen. Schaffe Dir also eine behagliche, saubere und schöne Umgebung, die eine Atmosphäre von Ehrerbietung, Frieden, Dankbarkeit und Geborgenheit vermittelt. Diesen Engeln liegt wahrlich sehr daran, Teil Deines Lebens zu werden, und so antworten sie auch jedesmal, wenn Du ihnen Dein Herz öffnest. Voller Freude wachen sie auch über Deine Familie, die Kinder und Haustiere, da sie gerne in einem fröhlichen und glücklichen Heim zu Hause sind.

Der Engel Deines Heims wird sich der Liebe, die Du gibst, annehmen und sie – verstärkt und hell erleuchtet – im Herzen des Geliebten ablegen. Indem Du regelmäßig meditierst und Amarushaya um Hilfe bittest, kannst Du genau den richtigen Engel auf Dich aufmerksam machen. Nach einigen Wochen wird Dir Dein Wunsch diesen Engel bescheren. Höre Dir an, was sie zu sagen hat;

frage sie nach ihrem Namen; lasse Dir ihre Worte der Weisheit und Liebe zuteil werden; versuche, besser mit ihr bekannt zu werden und sie zu spüren. Es kann sich um eine ganz schlichte Zeremonie handeln, bei der Du nur eine Kerze anzündest, Blumen und beispielsweise Räucherstäbchen darbietest, dem Engel dankst und dann Dein Heim als Tempel der Liebe weihst. Begehe dies mit einer Feier, zu der Du Deine Familie und Freunde einlädst, oder genieße diese intimen Momente ganz für Dich allein. Stelle Symbole für die vier Elemente in die vier Ecken Deines Zimmers oder Hauses – Räucherstäbchen etwa für die Luft; Salz, einen Kristall oder eine Topfpflanze für die Erde; eine Kerze für das Feuer und eine Schale oder ein Glas mit Wasser. Wähle Symbole aus, die Dich wie ein Kristall oder ein Bild an die emotionale Gegenwart Deines Engels erinnern, und stelle sie auf ihren speziellen Altar. Auch Deinen Arbeitsplatz kannst Du auf dieselbe Art weihen.

Der Engel Deines Heims ist ein Freund, der Dein Gedenken und Deine Liebe zu schätzen weiß. Gedenke stets ihrer, wenn Du nach Hause kommst, an ihrem Altar vorbeigehst und wenn Besuch kommt. Wenn Du das Haus putzt, vergiß nicht, den kosmischen Staubsauger zu benutzen. Sauge all die Staubpartikel auf, die sich in Deinem Geist, Deinem Empfinden und Körper ebenso angesammelt haben wie in Deinem Haus. Wenn Du Staub wischst, gönne auch Deinen Möbeln ein paar Streicheleinheiten, während Du negative Gedanken durch schöpferische ersetzt. Hast Du Wäsche, wasche auch die Schmerzen aus Deinem Körper, wenn Du die dreckige Wäsche der Schande und des Bedauerns abziehst. Wenn Du Geschirr spülst, so massiere den Groll und Zorn liebevoll aus Deiner Seele und bitte darum, daß das Licht Deines Ewigen Ichs Dich erfüllen möge. Beziehe auch die Dankbarkeit mit ein, damit Du mit allem, was Du im Laufe eines Tages erledigst, Gott einen Dienst erweist, indem Du unaufhörlich Dank sagst für Dein Heim, das Dir ein so liebevoller Hort ist.

Segne Deinen Garten durch das Anrufen der Engel der Natur. Jedes Blütenblatt, jeder Grashalm und jeder Wassertropfen hat seinen eigenen Engel. Errichte einen kleinen Schrein mit einer Statue, einer Kerze oder sonst einem für Dich bedeutungsvollen Gegenstand. Biete eine eigene mit Wasser gefüllte Schale dar, segne ihn und verteile einige Spritzer. Hänge bunte Schleifen auf. Zünde Räucherstäbchen oder Salbei an. Jedesmal wenn Du das Haus verläßt, solltest Du die Engel im Gebet anrufen und ihnen aus vollem Herzen Deine Liebe und Deinen Dank übermitteln. Du wirst sehen, wie in Deinem Garten plötzlich alles aufblüht! Danke auch zu jeder Mahlzeit für die Gaben der Natur.

Der wichtigste Tag des Jahres ist Dein Geburtstag. Dein Ewiges Ich wird neue Lichtströme durch Deinen Körper senden und Dir offenbaren, wie Du Deinen göttlichen Plan noch weiter manifestieren kannst. Je näher Du Deinem Ewigen Ich und Gott bist, desto mehr Segnungen wirst Du empfangen und als solche erkennen. In den Wochen unmittelbar davor wirst Du die Lektionen, die Du während des letzten Jahres gelernt hast, noch einmal deutlich Revue passieren lassen und einen Ausblick auf die des nächsten Jahres bekommen. Während dieser Zeit hast Du die Möglichkeit, Dich verschiedenster Vorurteile, Ängste und Schmerzen zu entledigen, da Dich diese Leuchtkraft aufbaut. Jeder Augenblick bietet die Chance, alte Strukturen aufzureißen und in den Einflußbereich ungehindert und spontan strömender Liebesenergie zu gelangen. Einige Tage vor Deinem Geburtstag solltest Du das vergangene Jahr noch einmal überdenken und vorausschauend auf das neue blikken. Meditiere so oft wie möglich und gehe der Wahrheit Deines Seins tief auf den Grund. Halte Deine Vorsätze fürs nächste Jahr schriftlich fest und versiegle sie im Rahmen einer kleinen Zeremonie. Zünde dann eine Kerze an und bitte um die Gegenwart Deines Ewigen Ichs, Deines Schutzengels, um die Gegenwart Gottes und all der anderen Engel und Lichtwesen, die Dir Geleit und Liebe zuteil werden lassen. Weihe Dein nächstes Lebensjahr der Einstimmung auf Gott und Deinen speziellen Vorsätzen und begehe dies mit einer FEIER!

Feiertage sind geweihte Momente, in denen die Engel verstärkt Energie freisetzen. Versuche, ihrer teilhaftig zu werden und sauge sie in Dir auf – in der Kirche oder in der Natur, zusammen mit anderen oder auf meditative Art für Dich allein. Sage Dank für die Liebe, die Dir Deine Familie und Freunde zuteil werden lassen, und für die Segnungen des Lebens.

Bist Du krank oder ist es ein Mensch, dem Du in Liebe oder Freundschaft zugetan bist, dann halte eine Zeremonie ab, um die Engel der Heilung herbeizurufen. Die Heilung dieser unserer Welt ist unerläßlich. Sieh Dir die Nachrichten an und rufe mittels einer Zermonie die Engelschar auf den Plan, damit den Kämpfen ein Ende bereitet und das Leid gemildert wird.

Hochzeiten und Jahrestage sind ein ideales Medium für Ekstase. Vor allem Hochzeiten sind kosmische Ereignisse, die die Betreuungsmannschaft Deiner Engel zu Tätigkeiten an Deiner Statt animieren. Bekennt man sich zur Liebe, bejaht und weiht man sie, so frohlocken die himmlischen Heerscharen.

Die Geburt neuen Lebens stellt eine Zeit spezieller Feierlichkeiten dar, wenn das Licht des neu angeommenen Ewigen Ichs noch im Schein des Himmels glüht. Mache es dem neuen Erdenbürger bei seiner Ankunft etwas leichter, indem Du sie oder ihn in die Liebe Deiner willkommenheißenden Umarmung hüllst. Gib seiner oder ihrer Seele Nahrung in Form einer wie auch immer gearteten Taufe. Nimm jede Gelegenheit wahr, die Verbindung dieser kleinen Seele zu hegen und zu pflegen.

Verschaffe Dir selbst Gelegenheiten zur Lobpreisung, zum Feiern und zur Einbeziehung der Engel in Dein Leben.

Musik: Raphael: das Album *Music to Disappear In*
Cool and the Gang: „Celebrate“
Lionel Ritchie: „Dancing on the Ceiling“
R.E. Barttenbach: „Tagtraum“ aus dem Album *Piano Fantasies*
Merlin's Magic: das Album *The Spirit of Libra*
Tänzers Traum: „Isis“ aus dem Album *Traumtanz*

37

Fortunata

WOHLSTAND

Trachtet am ersten nach dem Reich Gottes und nach seiner Gerechtigkeit, so wird euch solches alles zufallen.
Matthäus 6:33

Fortunata ist der Engel des Wohlstands. Und tatsächlich ist Fortunata auch derjenige, der reich im Geiste ist, da seine Seele unvergänglich, also Teil der Ewigkeit ist. Auf materieller Ebene dagegen zählen noch ganz andere Aspekte des Wohlstands. Bedeuten materielle Dinge und Erfolg in weltlicher Hinsicht Dir viel und erfährst Du am eigenen Leib, was es heißt, eine verarmte Seele zu haben? Hast Du der materiellen Welt dagegen entsagt, fühlst Dich aber dennoch um etwas betrogen? Wahre Freiheit liegt also in der goldenen Mitte, die es erlaubt, den Reichtum dieser materiellen Welt zu nutzen und zu genießen, ohne allerdings der Meinung zu sein, ohne das alles nicht leben zu können. Dies ist das Ergebnis eines bejahenden Geistes und eines emotionalen Körpers – der Glaube an die Schöpfungsgedanken Reichtum und Verlangen, und die starke Verbindung zu Deiner Bestimmung oder dem Göttlichen Plan. Laut Schöpfungsgedanken ist Reichtum jederzeit verfügbar. Ein Beispiel dafür lieferte Jesus mit seiner Speisung der 5000. Die Energie Deiner Konzentration und die Macht Deiner Gefühle wirken zusammen, um die magnetische Anziehungskraft zu erzielen, die Dir Deine Wünsche näherbringt. Konstruktives Verlangen ist ein Zeichen dafür, daß Gott am Werk ist und er sich in Deinem Leben manifestiert. Geld stellt auch eine Form des Austausches schöpferischer Energie dar. Mit Deiner Energie verdienst Du Geld und tauscht es gegen etwas ein, das ein anderer kraft seiner Energie hervorgebracht hat. Die Überzeugung, daß Geld knapp ist und Du dafür kämpfen mußt oder es Dir eigentlich nicht zusteht, führt entweder zu einer Unterbrechung des Energiestomes oder zu einem Mangel an Energie überhaupt. Wesentlichster Bestandteil ist Vertrauen. Vertraust Du auf die Führung, die Dir aus Deinem Inneren zuteil wird? Durch Übung wirst Du lernen, die Schöpfungsgedanken zu verstehen; und durch Erfahrung wird dieses Verständnis schließlich in tiefen Glauben umgewandelt.

Deine selbstauferlegten Zwänge und Überzeugungen verhindern, daß Du uneingeschränkt in den Besitz der Dinge gelangst, die Du Dir für den rechten Zweck wünschst. Es besteht ein feiner Unterschied zwischen einem Wunsch, der auf einem konstruktiven, Dich mit Deiner Wahrheit einenden Gefühl basiert, und dem Hunger nach dem alten Muster der Begehrlichkeit. Bitte Fortunata und Dein Ewiges Ich darum, das Verlangen zu erkennen, das in der Erfüllung Deines Göttlichen Planes gipfeln wird. Der erste Schritt besteht darin, daß Du einmal beobachtest, welche Überzeugungen und Verhaltensweisen Du an den Tag legst, wenn es um Geld und Deine Wünsche geht.

Bist Du zu sehr auf Geld fixiert, laß Deinem spirituellen Wachstum noch ein bißchen Zeit und gönne ihm etwas mehr Energie. Fehlt es Dir immer am nötigen Kleingeld, weil Du nicht wirtschaften kannst? Laß Dir helfen, Deine Finanzen zu ornden, arbeite auf ein ausgeglichenes Konto hin, diszipliniere Dich bei Deinen Ausgaben und sorge für die Zukunft vor. Sobald Du erkannt hast, was das alles bewirken kann, ist es durchaus angenehm und macht Freude. Drehst Du jeden Groschen dreimal um? Wirtschaftest Du zu streng? Vielleicht wäre es angesagt, die Zügel ein wenig zu lockern und Geld für Sachen oder Aktivitäten auszugeben, die einfach nur Spaß machen. Gönn Dir ruhig einmal etwas – Du hast es verdient! Laß Deine Intuition Dir die Freuden spontanen Handelns näherbringen.

Bist Du stets der Aktive, der Schwierigkeiten damit hat, einfach nur zu nehmen? Oder gibst Du Dich normalerweise mit dem zufrieden, was Dir in den Schoß fällt? Ersuche Fortunata, sie möge Dir helfen, den goldenen Mittelweg zu finden, der Dir ermöglicht, schöpferisch tätig zu sein, indem Du entweder selbst aktiv wirst oder einfach nur mit offenen Armen empfängst. Ist es Dir ein Bedürfnis, Dich ganz Deinem spirituellen Pfad hinzugeben? Oder würdest Du gerne ein Geschäft aufmachen und das verwirklichen, was Dir vorschwebt? Dazu bedarf es in dieser materiellen Welt finanzieller Rücklagen. Wirtschafte so, daß Du Dich gelegentlich der Freude eines spontanen Einkaufs hingeben kannst, genauso aber aktuellen wie künftigen Ausgaben Rechnung trägst. Du mußt auf eigenen Füßen stehen und Dich sachkundig machen in Sachen Geld, Finanzwelt und Schöpfungsgedanken.

Alles, was Du sagst oder denkst, ist in gewisser Weise Schöpfung. Die Energie, die aufgrund Deiner Gedanken und Gefühle hervorgerufen wird, bildet eine Struktur um Dich herum, die andere Menschen mit ähnlichen Energiegebilden anzieht. Höre einmal auf das, was Dein Inneres Dir im Laufe eines ganz normalen Tages vermittelt. Sind Deine Gedanken beispielsweise auf das gerichtet, was Du nicht haben kannst, oder mehr auf Dinge, die Du gerne hättest? Wenn Du Arbeit hast, was sagt Dein Verstand zu dieser Arbeit? Suchst Du dagegen Arbeit, wie sieht es dann aus? Wie schlägt sich Deine Einstellung dem Wohlstand gegenüber in Deinem Lebensstil nieder?

Der Augenblick, indem Du Dich selbst dabei ertappst, wie Du kritisch urteilst, ist ein wunderbarer, machtvoller Augenblick! Du mußt Dich nur entschließen, von einengender zu liebender Energie überzugehen. Blicke nach innen, um herauszufinden, woher diese Verhaltensweise rührt und heile sie. In dem Moment entscheidest Du ganz bewußt, was Du eigentlich erschaffen willst. Dies ist Deine Chance, Kontrolle und Reichtum zu wählen. Bitte Fortunata und Dein Ewiges Ich darum, dazu beizutragen, daß Du die Wahrheit sehen und Dich darauf konzentrieren kannst, indem du Deinen Geist und Deine Gefühle ganz darauf ausrichtest, Deine Wünsche zu bejahen. Wenn Du Dich dem Energiefluß öffnest, werden sich geniale Ideen einstellen. Empfängst Du erst die Gaben des Wohlstands und der Liebe, wirst Du Dich lebendiger denn je fühlen.

Musik: Maria Carey: „Make It Happen“ aus *Emotion*
Merlin's Magic: das Album *The Spirit of Libra*
Merlin's Magic: das Album *The Spirit of Cancer*

38

Ariel

NATUR

Und ein Engel wacht über allem,
was nur sichtbar ist in dieser Welt.
Der Heilige Augustin, *Acht Fragen*

Ariel ist ein mächtiger Engel der Natur. Sie hat sich durch das Königreich der Lüfte entwickelt und kontrolliert die menschliche Interaktion zwischen den Devas und den Engeln. Es bedarf lediglich eines offenen Herzens, um mit den Engeln der Natur Verbindung aufzunehmen. Um Dich im Einklang mit ihnen zu befinden, mußt Du ein aufrichtiges und liebevolles Interesse an ihnen zeigen. Wenn Du in der Lage bist, das Leben unter der Erde, in Sträuchern, Blumen, Bäumen, Felsen, leichten Brisen, Bergen und Meeren zu erkennen und schätzen, wirst Du das Tor öffnen, durch das Du diese gesegneten Wesen wahrnehmen und einlassen kannst. Ersuche Ariel, er möge Deine Gedanken weit in die Vergangenheit zurückreisen lassen, bis hin zu der vergessenen Erinnerung an Deinen Ursprung. Hilf der Erde, indem Du Deine Fähigkeit, im Einklang mit der Natur zu arbeiten, erkennst und ausbaust.

Die Engel folgen einem Weg, der parallel zu dem der Menschen in die Höhe führt – wir ergänzen einander. Die Engelessenz ist nicht an eine Form gebunden und naturgemäß auf den Kosmos ausgerichtet, da sie danach strebt, sich der Form, die sie umschließt, bewußt zu werden. Die Atomessenz in Mineralien, Pflanzen, Tieren und Menschen ist auf bestimmte Formen beschränkt und befindet sich auf der Suche nach einem erweiterten Bewußtsein. Im Bewußtsein der Engel sind Strukturen angelegt, die zur Vollkommenheit ausgebaut werden können, und atomare Materie füllt und festigt diese Strukturen dann tatsächlich, so daß sie Gestalt annehmen. Die Deva eines Busches weiß, wie die Pflanze heranreifen und blühen wird und schafft den Übergang dieser Veränderungen zur Formwerdung, genauso wie Dein Schutzengel Deine vollkommene Matrix kennt und dazu beiträgt, Deine Vollkommenheit Gestalt annehmen zu lassen. Die Engelessenz ist das seiende Wesen, während die Atomessenz das Tun darstellt. Also streben wir die Transformation vom aktiven Menschen zum menschlichen Wesen an.

Die erste Entwicklungsstufe der Naturgeister sind die Devas, die man sich wie kleine Elfen in Kinderbüchern vorstellen kann. Sie nehmen ihren Anfang als winzige Wesen ohne individuelles Bewußtsein, und sie folgen rein ihren Intuitionen, die sie mit den höherstehenden, für ihre Entwicklung verantwortlichen Geistern verbinden. Im Laufe dieses Prozesses erlangen sie ein individuelles Bewußtsein und Weisheit und haben schließlich bis zu ihrer Umwandlung in Engelwesen 124 bedeutende Anstöße erfahren. Wie wir Menschen auch, so nehmen sie auf ihrer Reise vielerlei Gestalt an und finden sich in mehreren Lebenszyklen wieder. Im Gegensatz zu den Menschen verfügen sie aber über eine starke Intuition, die sie jederzeit mit dem Willen des Ewigen verknüpft. Da ihnen jede persönliche Motivation fehlt, sind sie voll des Frohsinns und der Selbstlosigkeit und projizieren ihre Lebenskraft und elektrische Energie auf alle jene, die sie zu empfangen bereit sind. Die Naturgeister erfüllen ihre Aufgaben mit Hilfe des Atemrhythmus, mit schöpferischer Intelligenz und einem ebensolchen Geist.

Für jeden Grashalm, jedes Blütenblatt, jeden Wasertropfen und jeden Windhauch gibt es winzige Devas. Überaus mächtige und majestätische Engel thronen über Berg und Tal. Indem Du Dich an den Devas und Engeln der Natur ausrichtest, durchschreitest Du das Tor in eine Welt voller Gottes-Wesen. In einer naturbelassenen Umgebung kann die Zwiesprache mit den Engeln äußerst belebend sein.

Nimm jede Gelegenheit wahr, die Devas und Engel der Natur Deiner Liebe und Wertschätzung zu versichern. Sage jedesmal, wenn Du ins Freie gehst, ein stilles Dankesgebet an jene, die Dich umgeben. Bei Sonnenaufgang erscheinen die mächtigen Engel des Feuers und der Sonne am Horizont und hüllen Deinen Ätherkörper in einen Strahlenkranz der Erneuerung und beleben voller Freude Deine Lebenskräfte wieder aufs neue. In der ersten halben Stunde des Nachmittags kann es sein, daß die Sonne Dir eine kraftvolle innere Reinigung Deines Astralkörpers beschert. Bei Sonnenuntergang wird friedvolle Besinnung in Form eines auserlesen farbenprächtigen Strahlenkranzes übermittelt, wenn Du Dir einen Augenblick Zeit nimmst, um ihren Segen zu empfangen. Halte mit den Engeln des Feuers Zweisprache mittels des devischen Salamanders, wie er in jedem flackernden Feuer zugegen ist.

Die Engel der Erde haben Macht über Erschaffung und Erneuerung. Sie sind mit dafür verantwortlich, daß gute Ernten eingebracht werden können und die Bäume Früchte tragen. Genauso wie Saatgut in der Bodenkrume keimt, kannst auch Du die lebensspendende Kraft Deiner sexuellen Energie nutzen, um Deinen Körper neu zu beleben. Lasse Hof und Garten nicht verwildern, mache Felsen und Kristallen klar, daß Du sie zu schätzen weißt, und sei den Bäumen ein Freund.

Die Engel des Wassers zirkulieren genauso in der Natur wie das Blut in Deinem Körper. Betrachte nur einmal das Wasser in einem Teich, See oder Bach, in einem Brunnen, dem Ozean oder in der Nahrung und mache Dir Gedanken über die Verbindung zwischen der Reinheit des Wassers, Deinem Blut und Deinem Körper. Die großen Devas und Engel des Wassers versorgen auch Trockengebiete mit Wasser und lassen den Regen versiegen, wo er Schaden anrichtet. Sie lenken die Strömungen in fließenden Gewässern und setzen alles daran, das Wasser sauber und rein zu halten. Wenn Du trinkst, um Deine Zirkulation anzuregen, gelangen winzige Wasser-Devas in Deinen Körper. Danke ihnen, denn sie helfen, Dein System sowohl in physischer als auch emotionaler Hinsicht zu reinigen und läutern.

Die Engel der Luft sind das Bindeglied zwischen dem Ausatmen der Bäume und Ozeane und Deinem Einatmen. An warmen Tagen senden sie Dir eine kühlende Brise; Regenwolken bescheren sie in Zusammenarbeit mit den Engeln des Wassers dann, wenn Deine Umgebung der Säuberung und die Vegetation der Nährstoffe bedarf. Winzigste Devas in einzigartiger Farbenpracht schwirren wie Bienen zwischen den Blumen und Grünpflanzen herum und stärken so den Atmungsprozeß mit dem blanken Vergnügen und dem Frohsinn des Lebens. Halte Zwiesprache mit den Zephiren, wenn sie eine sanfte Brise Dein Gesicht liebkosen lassen oder heftige Windstöße zur Reinigung der Luft Deiner Umgebung senden. Versichere auch die Sylphen Deiner Liebe, die aus ihrer eigenen ätherischen Substanz einzigartige Baldachine zur Verfügung stellen, um einen Baum, einen Hügel oder Dein Gemeinwesen vor den schädlichen Strahlen solarer und kosmischer Kräfte abzuschirmen. Rufe die Engel der Kraft an, wenn die Wetterlage sich stabiliseren soll, und die Engel der Ruhe, wenn die Stürme zu heftig werden. Es gibt Devas für die Verdunstung von Wasser und sein Auftreten, für die kristallinen Strukturen von Schneeflocken und Frost und für die Übergangsformen von Luft- und Wasserbestandteilen. Ist die untere Astralebene mit einer Schmutzschicht überzogen, so treten die Devas des Blitzes auf den Plan. Die Engel des Elektrizität warten mit den Kräften des Magnetismus und der Elektrizität auf.

Die Engel beeinflussen die Launen der Natur so, daß sie die Stimmung der Menschen widerspiegeln. Naturkatastrohpen ermöglichen die Freisetzung von Zorn und Bösartigkeit, wenn die Erde einfach nicht mehr davon aufnehmen kann. Gewalttätige Kräfte, die nicht den Naturgeistern unterliegen wie etwa Erdbeben, Taifune, Orkane und Flutkatastrophen bewegen sich auf die Gebiete zu, die ihnen den besten Platz bieten, um Haß, Egoismus, Täuschungen, Vorurteile und Gier abzulassen. Während des Ausbruchs dieser zerstörerischen Kräfte ziehen sich bis auf die stärksten Naturgeister alle an einen sicheren Ort zurück. Dadurch wird die aufgestaute Kraft geläutert, um schlimmeres Unglück zu verhüten. Unsere Erde ist ein lebendes und atmendes Wesen, und sie folgt dem Pfad ihrer eigenen Evolution. Sie ist an einem Ort der Verzweiflung angelangt und bedarf unserer Hilfe. Wenn Du eine Umwandlung vollziehst und Deine Heilung vorantreibst, dann trägst Du auch zu ihrer Heilung bei. Sei Dir Deines Einflusses auf die Natur bewußt. Mach der Verschmutzung und Kontaminierung ein Ende – physisch wie auch emotional. Sorgst Du dafür, daß Abfall recycelt wird? Benutzt Du Dein Auto immer weniger? Sprühst Du Gift?

Oder verstärkst Du den psychischen Druck aufgestauter Wut? Trage Deinen Teil zur Säuberungsaktion bei!

Um mit Ariel und den Engeln der Natur zusammenzuarbeiten, mußt Du Deinen Kopf freimachen, ganz still sein und den Wunsch verspüren, ihre Bekanntschaft zu machen. Du mußt offen sein, damit Du ihre Anweisungen empfängst und entsprechend Bäume beschneidest, Pflanzen einsetzen oder wässern kannst oder auch Säuberungsaktionen vornimmst. Teile ihnen mit, wenn Dir eine üppige Blumenpracht, eine reiche Obst- oder Gemüseernte vorschwebt oder wenn Du Wein an einem Spalier entlangranken lassen möchtest. Um Deiner Vorstellung Rechnung zu tragen, werden sie den Bauplan der Pflanze entsprechend ändern. Spüre sie in Deinem Tagesverlauf, heiße sie willkommen und liebe sie. Begehe Tagundnachtgleiche und Sonnenwende stets mit einer freudvollen Feier. Biete Gaben dar und pflege Freundschaften, indem Du Deinen Garten der friedfertigen Zusmmenarbeit unser beider Welten widmest. Gönne Dir öfter ein Bad mit Meersalz, Badekräutern, ätherischen Ölen oder in heißen Quellen. Schwimme im Meer oder in einem See. Schmücke Heim und Arbeitsstätte mit Blumen. Wandere mit offenem Herzen durch die Natur und nimm Gott wahr, so wie er sich in allem, was Dich umgibt, manifestiert. Versuche, Dich von der engstirnigen Vorstellung freizumachen, Du seist Dein Körper, und verschmelze statt dessen mit der Essenz aller Dinge. Laß Dich auf den Wogen einer sanften Brise durch die Bäume treiben, gleite auf den Schwingen des Vogelgezwitschers durch die Lüfte, erbitte die seligmachende Wirkung des Prana, damit sie Dich durchströmt und einen neuen Menschen aus Dir macht. Sie ist für Dich da, Du brauchst sie nur zu wollen!

Musik: Claude Debussy: *La Mer*
Randall Leonard: das Album *Flutterbys*
Randall Leonard: das Album *Melting Snow/Thirsty Flowers*
Coyote Oldman: das Album *Landscape*
Kenny Loggins: „Will of the Wind" aus *Leap of Faith*
Tim Wheater: das Album *Whalesong*
Silent Thunder: das Album *Sun Suite*

Die Engel des goldenen Lichts

39

Anael

SEXUALITÄT

Und sucht ein Mensch auch Gott,
so sucht der Herr ihn noch weit mehr …
ist das Sehnen nach Gott doch nur die Vorstufe
der Vereinigung mit Ihm.
Der Heilige Johannes vom Kreuz,
Das leibhaftige Feuer der Liebe

Anael ist der Engel der Venus, des Sterns der Liebe. Anaels Ausruf „Öffne alle deine Tore" ist die Aufforderung, die Blüten all Deiner Chakren zu öffnen und die Energie des Ewigen in Deinen Körper strömen zu lassen. Sexuelle und spirituelle Energie entspringen derselben Quelle. Die schöpferische Kraft der Sexualität facht das Feuer der Leidenschaft an, das dann Deinen Körper mit Leben erfüllt. Die Freude und Lebenskraft, die mit dieser Energie einhergehen, verbinden Dich mit Deinem Ewigen Ich. Lade Anael ein, er möge Dir auf diesem Pfad der Erkundung solange Geleit zuteil werden lassen, bis die Leidenschaft zu einem machtvollen spirituellen Bindeglied in der Kette der Liebe zu Dir selbst, zu Deinem Partner und zu Gott wird.

Sexuelle Energie ist eine mächtige schöpferische Kraft, und sie soll die Leuchtkraft des Lichtes in einem jeden von uns erhöhen. Statt dessen sind oft die vorherrschenden Gefühle von Schuld, Zorn und Furcht verstärkt worden, denn Sex mündet oft in Dunkelheit, wenn er sich nicht auf Liebe und die Gegenwart Gottes gründet.

Du mußt die Heiligkeit der geschlechtlichen Liebe wiederherstellen, indem Du Gott einlädst teilzuhaben. Dank der Macht der Göttlichen Gegenwart und Liebe wirst Du dann mit intensivstem Erleben erfüllt, das Dir einen stundenlangen Zustand der Ekstase bescheren kann, Dein gebrochenes Herz wieder heilt und Deinen Körper verjüngt. „Öffne alle deine Tore!“ ist der freudige Ruf, wenn alle Chakren geöffnet sind, sich in einem Zustand der Harmonie befinden und in die Essenz der Liebe gehüllt werden.

Wenn Du Dich dem Sex hingibst, öffnet sich Dein Energiefeld. Sexuelle Energie ist magnetisch und zieht ähnlich gelagerte Energiepotentiale an, also Partner, die Dein Potential verstärken. Eure Gefühle lassen sich nicht mehr klar trennen. Wirst Du von Schuldgefühlen geplagt, so empfinden auch sie Schuld. Durchleben sie noch einmal das Leid, das ihnen eine frühere Erfahrung beschert hat, so wirst auch Du nicht ohne Schmerzen sein. Und so treten Furcht, Zorn, Scham und Liebe in euch beiden gemeinsam auf.

Sei ganz ehrlich, was Deine Gefühle angeht, und beziehe Deinen Partner mit ein. Liebe geht nicht in Deinem Kopf vor sich, sie ist ein Gefühl in Deinem Herzen. Ist in eurer Beziehung die Flamme der Leidenschaft erloschen, so achte darauf, ob Du Gefühle zurückhältst, weil Du Angst hast, zurückgewiesen zu werden. Indem man sich offen um Wahrheit bemüht, kann man das Feuer der Ekstase wieder anfachen. Zeige ein bißchen Abenteuergeist und probiere zusammen mit Deinem Partner Neues aus. Wenn ihr nur wenig Zeit miteinander verbringen könnt, dann legt wenigstens einen Tag pro Woche fest. Überrascht euch gegenseitig mit speziellen Augenblicken, in denen ihr sexuelle Phantasien auslebt und jede Gelegenheit nutzt, um erfinderisch und romantisch zu sein.

Der erste Schritt auf dem Weg zur Heilung besteht in dem festen Vorsatz, unwillkommene Gefühle nicht länger zu leugnen und der Wahrheit ins Auge zu sehen. Hast Du Deine Sexualität unterdrückt? Schreckst Du schon vor dem bloßen Gedanken an Sinnlichkeit zurück? Halten Dich Schuldgefühle schon davon ab, Dich irgendwelchen Phantasien hinzugeben? Oder beherrscht Sex gar Dein Leben? Verdrängst Du Angst- und Schuldgefühle, um Dinge zu tun, die Du hinterher bereust? Bist Du sexuell mißbraucht worden? Bitte Anael, Dir zu helfen, Angst und Scham freizusetzen und Dich der damit einhergehenden Überzeugungen und Vorurteile zu entledigen. Vielleicht hast Du gegen die propagierte Unterdrükkung aufbegehrt und bist sexuell zu freizügig geworden. Ganz gleich, was auf Dich zutrifft, bitte einfach um Heilung und Ausgewogenheit.

Gehe in angemessenem Tempo vor und sei Dir auch der geringsten Deiner Ängste oder Sehnsüchte bewußt. Sehr hilfreich ist es, wenn Dein Partner verläßlich und liebevoll ist und Dir gerne helfen will, Deine Ängste und Schmerzen zu überwinden. Was möchtest Du wirklich? Anfangs weißt Du das vielleicht selbst nicht einmal genau. Daher mußt Du Dir diese Frage immer wieder stellen. Sexuelles Verlangen ist etwas Positives. Sei bereit, es zu erkunden. Sei Dir aller Dinge bewußt, die in Deinem Kopf und Deinen Gefühlen vor sich gehen, denn sie können Dir wertvolle Hinweise für Deinen Heilungsprozeß liefern. Anfangs mag es durchaus so sein, daß Du ohne Tränen gar nicht zur Freisetzung dieses tiefen Schmerzes fähig bist. Steigen die Ängste, die früherer Mißbrauch verursacht hat, in Dir hoch, bereite der Unterdrückung ein Ende und stelle Dich ihnen. In der Gegenwart von Liebe kannst Du Dir gestatten, all Deinen Gefühlen Rechnung zu tragen, und so Deine Kraft wiedererlangen. Erfüllt Dich Deine Sinnlichkeit mit Schuldgefühlen? Unterdrückst Du Deine Leidenschaft aus Angst davor, Du seist kein guter Mensch? Schämst Du Dich Deines früheren Verhaltens? Der Schlüssel liegt darin, daß Du Dir bewußt machst, was Du wirklich empfindest.

Gestehe Deinen Phantasien zu, zum Ort der Heilung zu werden. Gehe einmal Deiner ohnmächtigen Wut auf den Grund, die Du angesichts von Sex in Kombination mit Gewalt oder Sex mit Kindern empfindest; mache Dir Gedanken über Deine Neugierde bezüglich sexueller Erlebnisse mit mehreren Partnern, mit Partnern desselben oder des anderen Geschlechts; oder gib Dich Gott hin. Hast Du Dich erst einmal von Deiner Vergangenheit befreit, wirst Du mit Deiner sexuellen Energie ganz spontan und natürlich umgehen können. Laß Dir von ihr sagen, auf welche Weise sie ausgedrückt werden will. Oft reicht schon eine kleine Berührung oder ein von Herzen kommendes Gefühl. Wenn sich Deine Energie öffnet, wird Dir ein unvorstellbarer Orgasmus im Herzen beschert. All Deine Chakren können einen Orgasmus erleben! Teile diese Erlebnisse voller Liebe und Mitgefühl. Überkommt Dich eine Empfindung gerade explosionsartig, während derjenige, mit dem Du das Erlebnis zu teilen versuchst, nichts verspürt, kann Dein Handeln durchaus furchteinflößend und nicht nachvollziehbar sein. Trage den Bedürfnissen der anderen Rechnung und sei Dir stets Deiner Motive bewußt.

Musik: Raphael: „Laxsmi“ und „Tantra“ aus dem Album *Music to Disappear In II*
Enigma: das Album *MCMXC a. D.*
Michael Bolton: „We're Not Making Love Anymore“ aus dem Album *Time, Love & Tenderness*
Pointer Sisters: „Jump (for My Love), „Fire“, „I'm So Excited“, „Slow Hand“ aus dem Album *Greatest Hits*
Tänzers Traum: das Album *Traumtanz*
Tänzers Traum: „Sternblüten“ aus dem Album *Sternblüten*

40

Phanuel

HOFFNUNG

Ihr seid das Licht der Welt.
Matthäus 5:14

Phanuel ist der Engel der Hoffnung, und der Teufel ist in seiner Macht. Das Gefühl der Hoffnung verbindet Vertrauen mit dem Wunsch nach Gutem und geht mit der Annahme einher, daß Dein Wunsch in Erfüllung gehen kann. Hoffnung ist eine Bahn zu Gott, und sie öffnet Dich, damit Du der Führung und göttlicher Inspiration teilhaftig werden kannst. Wenn Hoffnung auf synergetische Art mit dem Glauben verbunden wird, wird sie zu einer mächtigen Antriebsfeder des Wandels. Die Macht der Hoffnung kann beschworen werden, wenn Dein Vertrauen nur ausgeprägt genug ist und Du der Überzeugung bist, daß das Gute obsiegen wird.

Ohne Hoffnung fällst Du leicht der Verzweiflung anheim, den Zweifeln und der Überzeugung, daß es doch nie wirklich zu einem Prozeß der Heilung oder Rettung kommen wird. Ist die Hoffnungslosigkeit übermächtig, bist Du im wahrsten Sinne des Wortes gelähmt vor Entsetzen und nicht imstande, Dir selbst zu helfen. Dann scheint es, als hätte der Teufel Zugriff auf Dich. Erstaunlicherweise führt hier der Zorn zur Erlösung! Du mußt einen Weg finden, um das Entsetzen so weit offenzulegen, daß Du die latente Wut angesichts dieser Hoffnungslosigkeit freilegen kannst. Fange mit Deiner Heilung auf jede beliebige Art und Weise an. Steckst Du tief in einer Krise, gib Dir selbst die Zeit und schaffe Dir einen Ort, um Deine Wut genauso auszuleben wie ein Zweijähriger, der gerade einen seiner Anfälle hat. Rufe Phanuel an, Deinen Schutzengel, Dein Ewiges Ich und auch Gott, damit sie Dir helfen, diese lähmenden Angstgefühle zu überwinden.

Bist Du noch nicht soweit, daß Du vor Wut explodieren kannst, dann gehe zunächst einmal Deinen wahren Gefühlen auf den

Grund. Furcht kann in vielerlei Gestalt und ganz unterschwellig auftreten, so daß Du vielleicht einmal gar nichts empfindest oder wie betäubt bist. Als erstes mußt Du erkennen, in welch ungeheurem Ausmaß die Angst Dein Leben beherrscht. Fürchtest Du Dich davor, zu sagen, was Du wirklich empfindest? Gehst Du nicht völlig aus Dir heraus? Bist Du um Deine Sicherheit besorgt? Läßt Du es zu, daß andere Dich wie einen Fußabstreifer benutzen? Fällt es Dir schwer, Dir die Intensität und wahre Größe Deines Ewigen Ichs einzugestehen? Zerfließt Du vor lauter Selbstmitleid und dem Gefühl der Wertlosigkeit? Achte im Verlauf des Tages auf die kleinste Andeutung von Furcht, die Du normalerweise ignorieren würdest, da sie Deinen Körper nur blitzschnell durchzuckt. Zugegeben, in dieser unserer Welt kann einem vieles Angst einjagen, und der Sinn von Furcht besteht ja eigentlich darin, Deinen Körper vor Schaden zu bewahren. Räumst Du Deine früheren Ängste aus dem Weg, so kannst Du Dich dazu entschließen, Wachsamkeit und ein gesundes Urteilsvermögen ihre Stelle einnehmen zu lassen.

Das Entsetzen angesichts der Stärke unerwünschter Empfindungen und Mißverständnisse führt zu einer Zersplitterung, wobei nur der Teil, den Du im Laufe eines einzigen Lebens zu heilen vermagst, mit in Deinen Körper einzieht. Die übrigen Teile ziehen vielleicht in andere Körper ein, um geheilt oder manifestiert zu werden, auch wenn Du Dir nur Deines eigenen Lebens bewußt bist. Während der Prozeß der Heilung in Dir voranschreitet und Du Gott immer wieder um Vereinigung ersuchst, wirst Du Dir zusätzlicher Teile Deiner selbst in anderen bewußt werden. Das beste Beispiel dafür stellen Kinder dar, da sie die Gefühle verkörpern, die Du und Dein Lebensgefährte zur Zeit der Empfängnis verspürten. Im Verlaufe Deiner Heilung wird auf wundersame Weise auch Dein Kind geheilt werden. Genauso bist natürlich Du selbst auch Teil der Gefühle Deiner Eltern zum Zeitpunkt Deiner eigenen Empfängnis. Dein Heilungsprozeß wird auch an ihnen nicht spurlos vorübergehen, so daß die Möglichkeit besteht, eine neue Beziehung zu entwickeln, die sich auf Liebe stützt. Auch Deine Geschwister und Deine Freunde werden sich verändern. Die Kraft, die von Deiner persönlichen Transformation ausgeht und heilend auf andere wirkt, wird Dich in Erstaunen versetzen.

Die Heilung geht nur mühsam voran, solange man der Überzeugung anhängt, Gefühle zu zeigen sei sinn- oder hoffnungslos, weil wir uns dann nämlich stets aufs neue in Situationen wiederfinden werden, die uns in diesem selbstzerstörerischen Glauben bestärken. Es bedarf couragierter Beharrlichkeit, um diesen Teufelskreis endlich zu durchbrechen. Gehst Du ganz aus Dir heraus, so daß die Heilung einsetzen und die Bewußtseinserweiterung vor sich gehen kann, wird diese urväterliche Prägung in solcher Tiefe freigesetzt, daß Du in eine höhere Bewußtseinsebene eintrittst und Dich nicht länger von Deinem Ewigen Ich entzweit fühlst. Und endlich bist Du tiefer Liebe fähig!

Rufe Phanuel an, Dich mit der Hoffnung, derer es für diese Reise durch die Dunkelheit bedarf, zu stärken. Hast Du das Gefühl, auf Deinen Schultern läge die Last der ganzen Welt? Umgibt Dich Schwere und Lethargie? Dies ist Deine Essenz, wenn sie nicht mehr schwingt und kein Licht empfangen kann. Bitte Gott, er möge heilendes Licht in die Teile Deiner selbst strömen lassen, die kaum mehr am Leben und von Furcht übermannt sind. Bedeutet jeder Tag einen Überlebenskampf für Dich – sei es aufgrund von Krankheit, Armut oder der Bedrohung durch andere Menschen, dann ist dies geradezu lebenswichtig für Dich. Wenn Du lernst, die verhaßten Teile Deiner selbst zu akzeptieren und sie mit Heilkraft und Liebe erfüllst, wird sich Dein Leben in der Reflexion verändern. Krankheiten werden kuriert, berufliche Verbesserungen werden sich abzeichnen, Menschen, die eine Bedrohung für Dich darstellten, werden sich zurückziehen, die Welt wird nicht länger ein so gefährlicher Ort sein.

Musik: Ludwig van Beethoven: „Allegretto“ aus der *Symphonie Nr. 7, Opus 92, A-dur*
Trevor Jones und Randy Edelman: das Album *The Last of the Mohicans*
Merlin's Magic: „Wurzel-Chakra“ *aus Chakra Meditation*
Uhl und Bauer: das Album *Wurzel-Chakra*

41

Remliel

BARMHERZIGKEIT

Wahrlich, wahrlich, ich sage euch:
von nun an werdet ihr den Himmel offen sehen
und die Engel Gottes hinauf und herab fahren
auf des Menschen Sohn.
Johannes, 1:51

Remliel bedeutet „Gottes Barmherzigkeit". Barmherzigkeit ist um Weisheit gemilderte Gerechtigkeit, die aus Wissen und Verständnis erwächst. Göttliche Barmherzigkeit stellt Gerechtigkeit oder einen Ausgleich dar zwischen Vollkommenheit und Unvollkommenheit, und sie ist einer der Grundgedanken der Schöpfung. Da Gott alles über jeden von uns weiß, ist es dem Göttlichen Geist ein leichtes zu vergeben. „Gottes Barmherzigkeit währet ewiglich."

Eltern, die ihre Kinder lieben, könnten unmöglich einem ihrer Kinder umsichtige Barmherzigkeit verweigern. Wir sind dazu angehalten, diesem Beispiel zu folgen und „unseren Nächsten zu lieben." Je besser wir unseren Nächsten verstehen, desto leichter wird es für uns sein, ihm zu vergeben und ihn zu lieben. Man hat uns beigebracht, die Unterschiede zwischen verschiedenen Kulturen und Religionen zu fürchten und zu hassen. Diese Ignoranz hat zur Verfolgung, zu Kriegen und der Auslöschung vieler eingeborener Völker dieser Welt geführt. Die Schuld und die ohnmächtige Wut, die Du angesichts der Rolle, die Du bei diesen Greueltaten gespielt hast, empfindest, stecken tief in Deinem Emotionalkörper. Vielleicht standest Du in einem Leben auf der Seite der Verfolger, im nächsten aber auf der der Verfolgten. Die Überzeugungen, die in diesen Erfahrungen ihren Ursprung haben, wiederholen sich in Deinem jetzigen Leben. Bitte Remliel, er möge Dein Herz und Deine Augen öffnen, damit Dir klarwird, wie Du immer wieder aufs neue in Deine Rolle zurückfällst. Wenn in den Nachrichten von Religionskriegen und ethnischen „Säuberungsaktionen" gesprochen wird, dann dürfen Dir Deine Wut und Dein Schmerz angesichts dieser Taten nicht verborgen bleiben. Siehst Du Dir eine Dokumentation über die Vernichtung des Regenwaldes und der Stämme an, deren Heim oder Leben geopfert wird, mußt Du es zulassen, daß die Wut in Dir hochsteigt. Vergegenwärtige Dir noch einmal die Massenmorde an den Ureinwohnern Amerikas, an den Opfern des Holocaust und der Roten Khmer. Was empfindest Du dabei?

Erfüllt es Dich mit Übelkeit oder wirst Du von Trauer und Abscheu übermannt, dann setzt hier Deine Heilung ein. Anfangs fragst Du Dich vielleicht noch, wie Menschen solcher Taten fähig sind oder vollziehst das Entsetzen der Opfer nach. Mit zunehmendem Mut, die Wut und damit einhergehende Bösartigkeit in Dir selbst zu akzeptieren, wird Dir allerdings klar, daß Du unter gewissen Umständen genau derselben Dinge fähig wärst. Hast Du schon einmal eine solche Beziehung zu jemandem unterhalten, daß Du ihn/sie am liebsten umgebracht hättest? Normalerweise unterdrücken Schuldgefühle derartige Impulse. Und anstatt dieses Gefühl zu akzeptieren und seine Kraft dahingehend einzusetzen, einen schöpferischen Wandel zum Guten zu vollziehen, wird es gewöhnlich verleugnet und in die dunkle Ecke wütenden Unvermögens gedrängt.

Zorn ist die furchterregendste aller Empfindungen, weil er Dich dazu verleiten kann, denjenigen wehzutun, die Du liebst. Wie schaffst Du es, Deine Wut unter Kontrolle zu haben? Schluckst Du sie einfach hinunter? Läufst Du vor ihr davon? Hast Du Angst davor, die Kontrolle über Dich zu verlieren? Verschaffst Du Dir mit einem Wutanfall Luft? Hast Du jemals einen anderen verletzt? Führst Du Deinem Körper Nahrung zu oder hungerst Du ihn aus? Treibst Du Sport? Gibst Du anderen die Schuld? Treten bei Dir Krankheiten auf, die mit aufgestauter Wut in Zusammenhang stehen? Machst Du manchmal etwas ganz Verrücktes, handelst ganz impulsiv? Halten Schuldgefühle Dich zurück?

Löst irgend jemand in Deinem Leben Gefühle ohnmächtiger Wut in Dir aus, so ist dies eine Gabe von Remliel und Deinem Ewigen Ich. Zunächst solltest Du einmal dankbar sein, daß Du überhaupt in der Lage bist, diese eingeschlossene Emotion auch zu spüren. Bitte Gott, er möge Dir bei dieser Erfahrung zur Seite stehen. Wird dieses Gefühl in Furcht umgewandelt, so akzeptiere auch dies und zeige es ganz offen. Laß Dich nicht von Schuldgefühlen davon abhalten. Irgendwann wird dann auch die Intensität nachlassen. Ist die Trauer übermächtig, so akzeptiere auch dies und überwinde sie, wenn nötig, mit vielen Tränen. Schließlich wirst Du Dich einfach nur leer und erschöpft fühlen und ungeheuer erleichtert sein. Rufe Remliel und Gott an, sie mögen Dich mit Barmherzigkeit, Liebe und Mitgefühl erfüllen. Öffne Deinen Geist und Dein Herz neuen Möglichkeiten der Konfliktlösung und handle dann entsprechend.

Tatsächlich ist dieser Zorn etwas, was nur Gott und Dich etwas angeht, und er hat nichts mit anderen Menschen zu tun. Dir selbst oder anderen darfst Du nie aus einer Laune heraus Schaden zufügen. Lege die Intensität vielmehr erst einmal ab und setze sie erst in der sicheren Umgebung einer eigenen Sitzung frei. Zorn ist eine gefährliche Kraft. Jedesmal, wenn Du Dir in einer Situation eines starken Druckpotentials bewußt wirst, mußt Du Dich entweder zurückziehen oder einhalten. Erleuchte die Orte Deiner Dunkelheit in gemächlichem und sicherem Tempo. Erzwinge nie einen zu raschen Heilungsprozeß.

Geduldig harrt Gott Deines Verlangens nach göttlicher Barmherzigkeit und Mitgefühl. Nimmst Du schließlich dann den Trost des Geistes an, frohlocken die Himmel. Remliel inspiriert die höheren Impulse und spirituellen Emotionen. Seine Führung ist dazu gedacht, die Oberhäupter unserer Gemeinden und Länder Gerechtigkeit walten zu lassen – im gesetzlichen Rahmenwerk ebenso wie in ihrer Regierungsarbeit. Letztendlich wird eine gnadenlose Diktatur immer untergehen, und die Führungsrolle werden diejenigen übernehmen, die in ihrem Herzen Platz für Vergebung geschaffen haben.

Musik: Gregorio Allegri, *Miserere*
Merlin's Magic: „Stirn-Chakra" aus *Chakra Meditation*
Uhl und Bauer: das Album *Stirn-Chakra*

42

Kaeylarae

FRIEDEN

Herr, mach mich zum Werkzeug deines Friedens.
Der heilige Franz von Assisi

Kaeylarae ist der Engel des Friedens. Ihrem Leib entspringen die Gaben der Geduld und der Liebe zu sich selbst, die die Essenz des Friedens darstellen. Bist Du Dir selbst in Liebe zugetan, kannst Du einfach nicht verzweifelt oder ungeduldig sein. Lediglich in Augenblicken, wenn Du Dich selbst nicht akzeptierst und liebst, finden Ärger und Aufruhr in Dir Platz. Kaeylarae ist gekommen, um Dir zu helfen, die Widersprüche dieser Welt aufzulösen, damit Friede in Deine gepeinigte Seele einziehen kann. Unsere Welt ist auf Dualismus gegründet, und solange Du diesen Dualismus nicht überwinden kannst, wirst Du nie mehr als einen flüchtigen Blick auf den Frieden erhaschen. Der größte Widerspruch liegt in der Tatsache, daß Frieden zwar der Urzustand im Himmel, nicht jedoch in der materiellen Welt ist.

Viele der Verhaltensweisen, die dem Frieden abträglich sind, sind erlernt und können mit Hilfe von Liebe ausgemerzt werden. So ist zum Beispiel ein Gespräch Deines Geistes das, was er Dir sagt, wenn du Auto fährst, monotone Tätigkeiten verrichtest, irgendwo anstehst, andere Menschen beobachtest, fernsiehst, Dich mit Deiner Familie und Deinen Freunden auseinandersetzt und so weiter. Du solltest ein paar Tage lang einen Notizblock bei der Hand haben, um festzuhalten, was Dir Dein Geist übermittelt. Du wirst feststellen, daß sich alles Wort für Wort wiederholt, wie bei einer aufgezeichneten Nachricht. Und genau das ist es auch. Die Botschaften werden Dir mittels Deiner Emotionen übermittelt und ziehen ähnliche Energiefelder in Form von Erlebnissen magnetisch an. Diese Gespräche Deines Geistes bieten Dir die Möglichkeit, das Buch Deines Lebens zu redigieren. Geh dabei über eine mentale Übung hinaus und begib Dich auf die Suche nach den alten Gefühlen, die diese Botschaften aufgezeichnet haben. Bitte Kaeylarae und Gott darum, Dir zu helfen, sie durch Empfindungen und Worte der Liebe zu ersetzen.

Schließt Du endlich Frieden mit Dir selbst, dann öffnest Du damit das Tor, durch das Kaeylarae in Dein Leben treten kann. Gereiztheit, Unmut oder Vorurteile schlagen das Tor dagegen zu. Die Engel können erst herbeieilen, wenn Du so zur Ruhe gekommen bist, daß Du ihre Stimmen vernehmen kannst. Dabei kommt Dir die Aufgabe zu, alles Häßliche und alle Zwietracht aus Deinem Leben zu entfernen, damit die Wogen des Friedens auf die Wasser Deiner Welt überschwappen und an die Herzen all derer rühren können, die Du liebst.

Zwei weitverbreitete Irrtümer gehen davon aus, daß Friede ein relativ gefühlsarmer Zustand der Ruhe und Gelassenheit ist, und daß starken Gefühlen nichts Spirituelles anhaften kann. Dabei ist es diesen Irrtümern fast gelungen, uns alle umzubringen! Die meisten von uns sind doch halbtot, von einem Nebel der Langeweile umgeben und kaum noch irgendwelcher Empfindungen fähig. Starke Emotionen sind ein natürlicher Bestandteil des Lebens, und der Emotionalkörper muß schwingen, um zu leben. Durch innige Gefühle – die guten wie die bösen – werden die Schwingungen hervorgerufen, die uns ermöglichen, mit der Quelle aller Energie, Liebe und Erlösung Verbindung aufzunehmen. Blinde Wut kann durchaus eine kräftige Antriebsfeder für gesellschaftlichen Wandel sein. Eifersucht ist eine geheime Botschaft, die Minderwertigkeit enthüllt. Verletzte Gefühle sind Teile unserer selbst, die wir nicht akzeptieren wollen, und die nach Liebe und Erleuchtung schreien.

Nimm neue Verhaltensmuster an, die Dir helfen, Dich bewußt auf Frieden auszurichten, anstatt unbewußten Verhaltensweisen anheimzufallen. Bist Du gereizt oder ungeduldig, tu so, als ob Du nur ein unbeteiligter Beobachter wärst. Versuche, die Position des anderen nachzuempfinden und bitte ihren oder seinen Schutzengel um Hilfe. Betrachte alles auch einmal von seiner lustigen Seite und bitte Kaeylarae, Dir andere Wege zu weisen, als immer nur in Deiner Position verhaftet zu sein. Mußt Du auf irgend etwas warten, bringe Dir selbst bei, diese Zeit zum Beten zu nutzen. Erweitere Dein Bewußtseinsfeld, indem Du Dich danach streckst, Verbindung aufzunehmen mit Dem Ewigen Ich anderer Menschen und den Engeln in Deinem Gebiet. Bist Du offen, so dauert es nur einen Augenblick, und Dir wird die Vision eines neuen Projektes zuteil oder ein bereits bestehendes erhält neue, scharfe Konturen.

Sobald Du erst einmal spürst, wie Dich die göttliche Liebe umfängt und Dir die Worte der Weisheit ins Ohr flüstert, nur um dann doch wieder in den Schleiern der Illusion zu verschwinden, wird Dein Herz brechen, da sein innigstes Sehnen diesem Frieden gilt. Fühlst Du Dich verlassen und mutterseelenallein in der Dunkelheit, dann bist Du Gott am nächsten. In solchen Augenblicken kannst Du tatsächlich durch die Schleier hindurchsehen und die Wahrheit Deines Sehnens erkennen. Dein Verlangen nach Frieden, Liebe oder Heilung ist der Gott in Dir, der Dich auf Deinem Weg vorantreibt. Rufe Kaeylarae und Dein Ewiges Ich an, denn sie sind stets an Deiner Seite – bereit, Dir zu helfen, wenn Du ihnen nur vertraust. Dann kann der Friede Deine verzweifelte Stimmung umschlagen lassen in das tief empfundene innere Wissen, daß Du wahrlich eins bist mit Gott. Die Engel werden mit Gaben herbeieilen, und Du wirst wieder in ihren Armen der Liebe gewiegt. Dein Ruf wird in jedem Fall erhört.

Musik: Natalie Cole: „The Very Thought Of You“ aus dem Album *Unforgettable*
Brother Charles: das Album *The Ecstasy of Peace* (*Name Divine Series: Om Mani Padme Hum)*
Richard Shulman: das Album *Light from Assisi*
Merlin's Magic: das Album *Reiki*

43

Stamera

VERGEBUNG

Stamera, wunderschöne Stamera ... tritt in mein Leben und mache mich eins. Erfülle mich mit deiner allumfassenen Vergebung, die alle Überbleibsel der Intoleranz meinen eigenen Unzulänglichkeiten gegenüber fortspült. Stamera, Du Geweihte, nimm mich in Deine Arme der Liebe ... Du bist mein Freund und mein Gefährte, Stamera. Du bist meine Seligkeit.

Damit die Heilung vollständig erfolgen kann, mußt Du Dir selbst vergeben. Zwar ist es nicht möglich, die Zeiger der Uhr zurückzudrehen und die Vergangenheit zu ändern, doch kannst Du sie in einem anderen Licht sehen. Vergebung folgt ihrem ganz eigenen Rhythmus, wenn Du die Entwicklungsprozesse der Freisetzung und Heilung durchläufst. Versuchst Du, Vergebung zu erzwingen, hast Du die Lektion, etwas akzptieren zu müssen, noch nicht gelernt. Man hat uns beigebracht, für unangenehme Dinge unseren Gefühlen die Schuld zu geben und nicht den Geschehnissen. Ganz gleich, wie weit Du Gefühle von Dir weist, so sind es doch Deine. Und eines Tages werden sie auf Dich zurückfallen.

Unangenehme Empfindungen sind Deine Erlösung, denn sie lassen Dich aufhorchen und motivieren Dich dazu, einzuschreiten! Oft kann ein Erlebnis sich schon völlig wandeln, wenn Du Du das, was Du wirklich empfindest, auf umsichtige Weise kundtust. Will der andere das nicht einsehen, weisen Dir Deine Gefühle vielleicht den Weg aus einer Situation, die nicht gut für Dich ist. Zeichnen sich gerade keine Alternativen ab, so kann das durchaus schwierig sein. Rufe Stamera mit all dem Sehnen Deines Herzens an und erbitte Kraft, ein scharfes Urteilsvermögen und Mut.

Tut Dir das Verhalten anderer weh, so verbirgt sich dahinter eine Botschaft Deines Ewigen Ichs, das verborgene Schuld- und Schamgefühle sowie Haß auf Dich selbst bloßlegt. Empfändest Du nicht so, dann würde Dich das Handeln dieser anderen Person nicht aus dem Gleichgewicht werfen. Also besteht der erste Schritt darin, daß Du Dir eingestehst, wie Du wirklich empfindest.

In Deinem Körper sind die gefühlsgeladenen Erinnerungen an traumatische Ereignisse gespeichert, genauso wie Du vor Deinem geistigen Auge jederzeit die Bilder eines Ereignisses ablaufen lassen kannst. Die Zellen, in denen diese Gefühle stecken, sind wie kleine Schachteln. Du mußt sie öffnen und hineintasten, um das Erlebnis freizusetzen. Bis Du den Mut und den Wunsch dazu hast, wird die gefangene Emotionalessenz immer wieder dasselbe Schema zugrundelegen und Dich stets auf neue mit neuen Menschen und neuen Situationen konfrontieren, denen eine ähnliche Essenz zugrunde liegt. Das mag zwar grausam erscheinen, ist in Wirklichkeit aber eine Gabe Gottes, um Deine Aufmerksamkeit auf all das zu lenken, was Dich der Liebe entzweit, so wie es bei diesen Verhaltensmustern der Fall ist. Sobald Du einmal ein wahrhaft traumatisches Erlebnis hattest und dieses Trauma dann freigesetzt hast, lasse auch die Erinnerung daran weichen. Vergib, und Du wirst frei sein. Begrüße neue Situationen als Führung, die Dir zuteil wird, und bitte Stamera, sie möge Dir helfen, diese Chancen als solche zu deuten und verstehen.

Bisweilen stellen sich eine grundlegende Heilung und umfassende Vergebung völlig unvermittelt ein. Häufiger jedoch braucht dies alles Zeit. Vertraue darauf, daß Dein Schutzengel und Dein Ewiges Ich Dich so rasch auf den Weg der Ganzheit führen werden, wie es die Fortschritte, die Du in Deiner Entwicklung machst, zulassen. Dies ist kein Wettbewerb, und Du bist auch nicht vollkommen. Du bist ein menschliches Wesen, das daran arbeitet, ein göttliches zu werden. Immer wenn Du von Dir selbst Vollkommenheit erwartest und dann allzu hart über Dich urteilst, solltest du sie nicht erlangen, legst Du wieder nur ein altbekanntes Verhaltensmuster an den Tag, das von einen Mangel an Zuneigung zu Dir selbst zeugt.

Ist die Vergebung erst vollständig, so wirst Du Dich beschwingt und geliebt fühlen und glücklich sein. Dein Leben wird sich ändern, denn es spiegelt Deine Heilung wider und macht der endlosen Wiederholung der ewig gleichen Strukturen ein Ende, so daß Du frei bist, Deinen Göttlichen Plan weiter zu verfolgen. Du wirst immer mehr erkennen, daß Stamera Dich liebevoll in ihren Armen hält. Wenn Du auch noch in einer Welt voller Leid und Leiden lebst, so hat sich die Perspektive, aus der Du das wahrnimmst, grundlegend geändert. Deine eigenen Seelenqualen lähmen Dich nicht länger. Statt dessen bist Du voller Mitgefühl und empfindest den Drang zu helfen, sobald Du des anderen Schmerz verspürst.

Musik: Johannes Brahms: „Denn alles Fleisch" aus dem
Deutschen Requiem, Opus 45
Lionel Richie: „Put Some Joy in the World"
Merlin's Magic: das Album *The Spirit of Cancer*
Merlin's Magic: „Sakral-Chakra" aus *Chakra Meditation*

44

Cerviel

MUT

In großer Krise, unerschütterlichem Durchhaltevermögen
und in Zielen, die Mitgefühl gänzlich außer Frage stellen,
da wird uns der Engel offenbart.
Ralph Waldo Emerson

Cerviel, der Engel der Kraft, war mit Daniel in der Löwengrube. „Mein Gott hat seinen Engel gesandt, der den Löwen den Rachen zugehalten hat, daß sie mir kein Leid getan haben." (Daniel 6:22) In der krisenartigen Situation, in der Du steckst, geht es vielleicht nicht gerade um Leben oder Tod, wenn man selbst auch oft das Gefühl hat. Eine Krise tritt dann zutage, wenn Du nicht bereit bist, Dich in Richtung des natürlichen Wachstumsflusses zu verändern. Stehen der Veränderung alte Verhaltensmuster im Wege, die auf falschen Schlußfolgerungen basieren, und hast Du nicht die innere Kraft, sie aus freien Stücken loszulassen, dann eilt Dir eine Krise zur Hilfe.

Je dichter der Weg versperrt ist, desto schlimmer ist auch die Krise. Versuchst Du, Dich dem Wandel zu widersetzen, der vollzogen sein will, dann vergößerst Du nur Dein Leid. Du mußt Dir im Leben auch der kleinsten und unbedeutendsten Ereignisse bewußt sein und Dir ihre größtmögliche Bedeutung klarmachen. Du wirst überrascht sein, wieviel Du in der Vergangenheit ignoriert hast. Was willst Du denn nicht sehen? Was willst Du eigentlich nicht ändern? Wenn Du Dich Problemen stellst und ihre Lösung anstrebst, solange sie noch klein sind, tritt die Krise gar nicht zwangsläufig ein.

Die Weigerung, einen Wandel zu vollziehen, kann viele Ursachen haben. Die Angst vor Veränderung oder die Furcht, Dein Leben könnte aus den Fugen geraten, kann dazu führen, daß Du Dich weigerst, genau das zu tun, was die Krise abwenden würde. Geht man noch tiefer, so ist Deine Weigerung unter Umständen der Versuch, die Frustration und Enttäuschung zu vermeiden, die sich dann einstellen, wenn man etwas begehrt, das man nicht haben kann, oder sich hilflos fühlt und sich wünscht, daß jemand etwas für einen tut. Jede dieser Möglichkeiten geht von der irrigen Annahme aus, daß Du derjenige bist, der die innere Transformation vollziehen muß, während das Wissen, daß Du es nicht schaffen kannst, Dich mit Hoffnungslosigkeit erfüllt.

Gib auf! Wenn Du Dich dem Wandel widersetzt, sagst Du nein zu dem Fluß des Lebens. Sag ja! Laß los und schaffe Platz, damit das Wunder sich vollziehen kann. Der Sinn der Transformation besteht darin, Entscheidungen und Verhaltensweisen bloßzulegen, die Dir eigentlich gar nicht entsprechen. Ersuche Cerviel, er möge Dir den Mut zuteil werden lassen, dessen es bedarf, um alles hinter Dir zu lassen, was nicht Du bist, und das zu suchen, was Du bist. Betrachte Dein Leben mit den Augen der Liebe und Vergebung, wenn Du noch einmal die Entscheidungen Revue passieren läßt, die Du getroffen hast. Entscheide Dich einfach für den Wandel und begib Dich auf die Suche nach dem Leben, das auf Wahrheit und Liebe basiert, ohne von Schuld- oder Schamgefühlen überschattet zu sein. Gehe tief in Dich, denn dort liegen all die Antworten und warten nur darauf, gehört zu werden.

Rücke von der Vorstellung ab, Du seist ein entzweites Wesen, von Dunkelheit umgeben auf Dich allein gestellt. In Wahrheit bist Du mit Gott verbunden – in Weisheit und im Licht. Gestatte Dir selbst doch einmal, Dich geliebt und umsorgt zu fühlen, wenn Du auf die innere Stimme der Weisheit hörst, die Deine Entscheidungen lenkt. Spüre doch nur Cerviels Gegenwart, wenn Du Dich öffnest, um seine Segnungen in Form von Mut und Kraft zu empfangen. Entscheide Dich für den Pfad, der Dir mehr Liebe und Frieden beschert, Ganzheit und das Leben!

Musik: Gloria Estefan; „Coming out of the Dark“ aus dem Album *Into the Light*
Trevor Jones und Randy Edelman: das Album *The Last of the Mohicans*
Kenny Loggins: „Now or Never“ aus dem Album *Leap of Faith*
Merlin's Magic: „Kronen-Chakra“ aus dem Album *Chakra Meditation*

Bibliographie

Angels. New York: Fawcett Columbine, 1989

Anonym. *Christ in You.* Marina del Rey: DeVorss & Company, 1989

Ash, Russell und Higton, Bernard. *Angels, Messengers from Heaven.* San Francisco: Chronicle Books, 1989

Bloom, William. *Devas, Fairies and Angels: A Modern Approach.* Sommerset, England: Gothic Image Publications, 1986

The Book of Common Worship. Philadelphia: The Board of Christian Education of the Presbyterian Church, 1951

Brother Lawrence. *The practice of the presence OF GOD.* Springfield: Whitaker House, 1982

Brennan, Barbara Ann. *Lichtarbeit – Das große Handbuch der Heilung mit körpereigenen Energiefeldern*, Goldmann Verlag, München, 1994

Burnham Sophy. *Engel – Erfahrungen und Reflexionen,* Walter Verlag (TB Goldmann Verlag) 1992

Burnham Sophy. *Die Nähe deiner Engel,* Walter Verlag (TB Goldmann Verlag), 1993

Chopra, Deepak, Dr. *Die unendliche Kraft in uns. Heilung und Energie von jenseits der Grenzen unseres Verstandes,* Heyne, 1994

Daniel, Alma, Timothy Wyllie und Andrew Ramer. *Ask Your Angels.* New York: Ballantine Books, 1992

Davidson, Gustav. *A Dictionary of Angels: Including the Fallen Angels.* New York: The Free Press, 1967

DeRohan, Ceanne. *Earth Spell: The Loss of Consciousness on Earth.* Santa Fe, NM: Four Winds Publications, 1989.

DeRohan, Ceanne. *Original Cause, The Reflection Lost Will Has to Give.* Santa Fe: Four Winds Publications, 1987

DeRohan, Ceanne. *Original Cause: The Unseen Role of Denial.* Santa Fe: Four Winds Publications, 1986

DeRohan, Ceanne. *Right Use of Will: Healing and Evolving the Emotional Body.* Santa Fe: Four Winds Publications, 1984

DeRohan, Ceanne. *The Brotherhood of Angels and Men.* London, England: The Theosophical Publishing House, 1957

DeRohan, Ceanne. *The Kingdom of the Gods*. Madras: The Theosophical Publishing House, 1987
Die Heilige Schrift
Flory, Lori Jean. *The Beginning*. Aurora: Angels Are Light, 1992
Gawain, Shakti. *Das Leben-im-Licht-Programm*, Heyne, München 1993
Godwin, Malcolm. *Angels: An Endangered Species*. New York: Simon and Schuster, 1990
Goodspeed, Edgar. *The Apocrypha: An American Translation*. New York: Vintage Books, 1989
Gray, William G. *The Ladder of Lights*. York Beach, Main: Samuel Weiser, Inc., 1981
Hay, Louise L. *Du bist Dein Heiler*. Heyne, München 1993
Holmes, Ernest. *Der Schlüssel zum wahren Leben*. Verlag CSA, 1984
Humann, Harvey. *The Many Faces of Angels*. Marina del Rey: De Vorss & Co., 1986
Hurnard, Hannah. *Leichtfüssig wie die Hindi...*, Noriam, 1989
King, Godfre Ray. *The Magic Presence*. Santa Fe: Saint Germain Press, Inc., 1974
King, Godfre Ray. *Unveiled Mysteries*. Santa Fe: Saint Germain Press, Inc., 1939
Moolenburgh, H. C. *Engel als Beschützer und Helfer des Menschen*. Bauer, Freiburg, 5. Auflage 1991
Nelson, Ruby. *Das Tor zur Unendlichkeit*. Aquamarin, Grafing, 1986
Newhouse, Flower A. *Lichtwesen*. Aquamarin, Grafing, 1984
Newhouse, Flower A. *The Meaning and Value of the Sacraments*. Escondido: The Christward Ministry, 1971
Newhouse, Flower A. *Rediscovering the Angels: Natives of Eternity*. Escondido: The Christward Ministry, 1976
Newhouse, Flower A. *Songs of Deliverance*. Escondido: The Christward Ministry, 1972
Parisen, Maria (Compiler). *Angels and Mortals: Their Co-Creative Power*. Wheaton: The Theosophical Publishing House, 1991
Pierrakos, Eva. *The Pathwork of Self-Transformation*. New York: Bantam Books, 1990
Printz, Thomas (Editor). *Daily Meditations on the Beloved Ascended Masters*. Long Island: The Bridge to Freedom, Inc. 1975
Printz, Thomas (Editor). *The Seven Beloved Archangels Speak*. Mount Shasta: Ascended Master Teaching Foundation, 1986

Printz, Thomas (Editor). *The Violet Fire.* Kings Park: The Bridge to Freedom, Inc

Saint Germain. *3 Reden - Reden über "Ich bin" des aufgestiegenen Meisters Saint Germain.* Starczewski-Verlag, Höhr-Grenzhausen, 1988/1989

Saint John of the Cross, *Dark Night of the Soul.* New York: Image Books Doubleday, 1990

Saint John of the Cross, *The Poems of St. John of the Cross.* New York: New Directions, 1972

Sams, Jamie. *The Sacred Path Workbook.* New York: Harper San Francisco, 1991

Snell, Joy. *Der Diest der Engel - diesseits und jenseits.* Lorber-Verlag & Turm Verlag, Bietigheim-Bissingen, 6. Auflage 1989

Szekely, Edmond Bordeaux. *The Discovery of the Essene Gospel of Peace: The Essenes and the Vatican.* USA: International Biogenic Society, 1977

Szekely, Edmond Bordeaux. *The Ecological Health Garden.* USA: International Biogenic Society, 1978

Szekely, Edmond Bordeaux. *The Essene Gospel of Peace, Book Two: The Unknown Books of the Essenes.* USA: International Biogenic Society, 1981

Szekely, Edmond Bordeaux. *The Essene Gospel of Peace, Book Three: Lost Scrolls of the Essene Brotherhood.* USA: International Biogenic Society, 1981

Szekely, Edmond Bordeaux. *From Enoch to the Dead Sea Scrolls.* USA: International Biogenic Society, 1981

Szekely, Edmond Bordeaux. *Healing Waters.* USA: International Biogenic Society, 1981

Szekely, Edmond Bordeaux. *Search for the Ageless, Volume One.* USA: International Biogenic Society, 1977

Szekely, Edmond Bordeaux: *Sexual Harmony.* San Diego: Academy Books, 1977

Szekely, Edmond Bordeaux: *The Tender Touch: Biogenic Fulfillment.* San Diego: Academy Books, 1977

Taylor, Terry Lynn. *Lichtvolle Wege zu deinem Engel.* Goldmann, München, 1993

The Urantia Book. Chicago: The Urantia Foundation, 1973

Yogananda, Paramahansa. *Man's Eternal Quest.* Los Angeles: Self-Realization Fellowship, 1988

Illustrationen und Quellennachweis (der Kunstabbildungen)

(Die Fortsetzung der Copyright-Seite, nach der Nummerierung der Engel-Karten sortiert)

1. Michael:
   Francesco Botticini (c.1446 - 1498) "Der junge Tobias mit den drei Erzengeln", Galleria delgi Uffizi, Florence, Italy. Superstock, Inc.
2. Jophiel:
   Vincent Van Gogh (1853 - 1890) "Antlitz eines Engels", Private Collection. Superstock, Inc.
3. Chamuel:
   Jack Shalatain "The Angel's Embrace", Art Works for Reproduction, Jack Shalatain, St. Ives, Cornwall, England
4. Gabriel:
   Gustave Moreau (1826 - 1898) "Der Heilige Sebastian mit Engel", Fine Art Photographic Library Ltd.
5. Raphael:
   Evelyn de Morgan (1826 - 1919) "Tobias and the Angel", Fine Art Photographic Library Ltd.
6. Uriel:
   Rembrandt Harmensz van Rijn (1606 - 1669) "Tobias und seine Familie", Louvre, Paris France. Giraudon / Art Resource, NY
7. Zadkiel:
   Frederick Judd Waugh (1861 - 1914) "The Knight of the Holy Grail" ca. 1912, National Museum of American Art, Washington, D.C./ Art Resource, NY, "This is only a portion of the entire painting."
8. Ramaela:
   Edward Reginald Frampton (1872 - 1923) "The Annunciation", Private Collection. Bridgeman / Art Resource, NY
9. Mihr:
   Lippi, "Die Heilige Familie", Fine Art Photographic Library Ltd.

10. Israfel:
Frank Cadogan Cowper (1877 - 1958) "Francis of Assisi and the Heavenly Melody" ã 1904. Fine Art Photographic Library Ltd.
11. Metatron:
Guariento Di Arpo (1338 - 1377) "Erzengel Michael", Civic Museum, Padua, Italy. Superstock
12. Shushienae:
M. L. Macomber (1861 - 1916) "Faith, Hope and Charity", Roy Miles Gallery, London. Superstock
13. Hadraniel:
George Frederick Watts (1817 - 1904) "Dweller in the Innermost", Tate Gallery, London. Superstock
14. Soqed Hozi: John Roddam Spencer-Stanhope (1829 - 1908) "Love and the Maiden", Private Collection. Bridgeman / Art Resource, NY
15. Paschar:
Mathias Grunewald "Isenheimer Altar: Geburt", Musee Unterlinden, Colmar, France. Giraudon / Art Resource, NY
16. Guardian Angel:
Rembrandt Harmensz van Rijn. "Anna wird des Kindesraubs bezichtigt", Gemäldegalerie, Staatliche Museen, Berlin, Germany. Scala New York / Florence. Art Resource, NY
17. Ooniemme:
Fra Angelico (1400 - 1455) "Engel" (Detail aus Mariä Verkündigung), Superstock
18. Jamaerah:
William Blake "Satan in His original Glory" c. 1800 - 1805, Tate Gallery, London, Great Britain. Art Resource, NY.
19. Raziel:
Pietro Perugino (1445/50 - 1523) "Jungfrau und Kind", National Gallery, London. Superstock
20. Ongkanon:
Govert Flinck (1615 - 1660) "L'Annonce aux bergers", Courtesy of the Louvre Museum, Paris
21. Iofiel:
William-Adolph Bouguereau (1825 - 1905) "L'Innocence", Christie's, London. Superstock

22. Amitiel:
Guariento di Arpo (1338 - 1377) "Engel", Civic Museum, Padua, Italy. Superstock
23. Zagzagel:
Fra Angelico (1400 - 1455) "Engel Gabriel" (Detail aus Mariä Verkündigung), Superstock
24. Shekinah:
Guariento di Arpo (1338 - 1377) "Engel", Civic Museum, Padua, Italy. Superstock
25. Galgaliel:
Jack Shalatain "Ascension", Private Collection. Jack Shalatain, St. Ives, Cornwall, England
26. Nathaniel:
J. M. W. Turner (1775 - 1851) "The Angel Standing in the Sun", The Clore Collection, Tate Gallery, London/Art Resource, NY
27. Micah:
Raphael (1483 - 1520) "Die Befreiung des Petrus", Vatican, Rome Scala/Art Resource, NY
28. Charmiene:
Benozzo Gozzoli (1420 - 1497) "Angeli in Adorazione a sinistra", Parte bassa Firenze, Palazzo Medici Riccardi. Scala/Art Resource NY
29. Remliel:
Evelyn De Morgan (1855 - 1919) "Kingdom of Heaven Suffers Violence", De Morgan Foundation, London. Superstock
30. Uzziel:
Eugene Delacroix (1798 - 1863) "Jakob kämpft mit dem Engel", St. Sulpice, Paris, France. Giraudon / Art Resource, NY
31. Sandalphon:
James J. Tissot (1836 - 1902) "The Angel's Rebuke", Superstock
32. Nisroc:
Stanze di Raffaello (1483 - 1520) "Die Befreiung des Petrus", Vatican, Rome / Art Resource, NY
33. Hamied:
Carl Heinrich Bloch (1834 - 1890) "Der Engel und die Hirten", Superstock
34. Zacharael:
Domenico. El Greco (1541 - 1614) "The Agony in the Garden", London National Gallery, London, England. Superstock

35. Ananchel:
Verrocchio and Leonardo da Vinci "Johann der Täufer tauft Christus", Galleria delgi Uffizi, Florence. Superstock
36. Amarushaya:
Jacques Stella (1597 - 1657) "Engel bewirten Jesus"; Superstock
37. Fortunata:
Jean Bernard "Fortunata", The Bridgeman Art Library, London
38. Ariel:
Benozzo Gozzoli (1420 - 1497) "Angeli in Adoration", Palazzo Medici Riccardii, Florence, Italy. Scala / Art Resource, NY
39. Anael:
Sandro Botticelli (1445 - 1510) "Geburt der Venus", Florentine Uffizzi gallery, Florence. Superstock
40. Phanuel:
Gustave Moreau (1826 - 1898) "Saint Cecile" c. 1897, Fine art Photographic Library Ltd.
41. Remiel:
Rembrandt Harmensz van Rijn (1606 - 1669) "Isaaks Opfer", Hermitage, St. Petersburg, Russia. Scala / Art Resource, NY
42. Kaeylarae:
Dante Gabriel Rossetti (1828 - 1882) "Ecce Ancilla Domini! (Annunciation)", Tate Gallery, London, Great Britain. Art Resource, NY
43. Stamera:
Arthur Hughes (1832 - 1915) "There is Joy in the Presence of the Angels in the Heaven Over One Sinner that Repenteth", Fine Art Photographic Library Ltd.
44. Cerviel:
Guariento di Arpo (1338 - 1377) "Engel", Civic Museum, Padua, Italy. Superstock

Über die Autorin

Kimberly Marooney hat die *„Angel Blessing"*-Grußkarten entwickelt; sie enthalten die Botschaft der Liebe, die ihr in über 20 Jahren von ihren Engels-Führern übermittelt wurden. Zu den Karten gehört das kleine Heftchen *„Daily Meditation for Global Light Workers"*, eine hingebungsvolle Affirmation an die durch das Herz gewonnenen Siege und die Vollendung all derer, die sich auf dem *Weg des Lichts* befinden.

Kimberly ist Konzertflötistin gewesen, in der nicht-Profit-orientierten Buchhandlung „Miracle of Love" war sie für die Fananzplanung und das Management zuständig. 1987 erhielt sie die Ordination als *Dissenter*-Priester in der *Gateway Community.*

Den Sinn ihres Lebens sieht sie in dem Wiedererwecken des Gefühls von Wahrheit und Liebe in den Herzen aller, die sie mit ihren verschiedenen kreativen Projekten und durch ihre gelebte Lehre berührt.

Liebe Leserin, lieber Leser,

Kimberly Marooney freut sich, von Dir über Deine Erfahrungen mit den Engeln und den Engel-Karten zu hören.

Außerdem kannst Du Informationen über ein *„Angel Blessing"*-Seminar (derzeit nur in den USA möglich) und die *„Angel Blessing"*-Grußkarten erhalten, wenn Du (in englischer Sprache) an folgende Adresse schreibst. Deine Post wird an die Autorin weitergeleitet.

Windpferd Verlag
Stichwort „Engel - Himmlische Helfer"
Postfach
D-87648 Aitrang

Jamie Sams • David Carsons

Karten der Kraft

Ein schamanisches Einweihungsspiel in den „Pfad der Tiere". Mit Karten, Legetechniken und Interpretations-Handbuch.

In der indianischen Tradition war es der Ältestenrat, der Führung und Einweihung gab. Die Karten der Kraft können diese Rolle übernehmen, sie können uns zu jeder Frage Rat geben. Es sind indianische Heilungskarten, die uns auf den Medizin-Weg führen. Wenn wir bestimmte Eigenschaften benötigen, können wir die Kraft des Tieres anrufen, den Großen Geist darum bitten, teilzuhaben an der vollkommenen Harmonie und der Kraft, die das innerste Wesen dieses Geschöpfes ausmacht. Und wir werden Heilsbotschaften erhalten, für die Heilung des Körpers, des Denkens und des Geistes.

240 Seiten, 44 Karten,
DM/SFr 49,80/ÖS 389,00
ISBN 3-89385-037-6

Ferry Lackner

Das Licht der Engel

Ein "himmlisches" Einweihungsspiel und praktischer Leitfaden für die Begegnung mit Engeln und Schutzengeln

Das Licht der Engel ist ein praktischer Leitfaden für die Begegnung mit den Engeln. Die Engel-Karten ermöglichen eine spielerisch leichte Verbindung zu dem Schutzengel einer gegebenen Situation. So kann man sich über eine entsprechende Meditation mit Hilfe der Affirmations-Karten göttliche Inspiration und Eingebung erschließen. Die Zuordnung der Engel zu den verschiedenen Chakren und Lichtstrahlungen, ein genau strukturiertes Arbeitsprogramm, Anleitungen zur Bildmeditation und zum persönlichen Lebensbaum usw. erleichtern die praktische Verwirklichung der Engel-Energien im Alltag.

Set mit 78 Karten und
128seitigem Buch, DM/SFr 49,80
ÖS 389,00ISBN 3-89385-114-3

Gaby Rossbach

Visuelle Meditationen

Wege zum inneren Frieden. Kraftvolle Meditationen zur Tiefenentspannung, Atemharmonisierung, Energetisierung, Heilung und Harmonisierung von Aura und Chakren

„Visuelle Meditationen" ist ein ganz und gar praktisches Handbuch und wertvoll für alle, die gern meditieren. Bilder wie "Edelsteinhöhle", "Wanderung durch die Lichtsphären"und "Tempel im Himalaya" machen das Entspannen, Genießen und Davon-schweben zu einem Körper, Seele und Geist belebenden Ereignis. Diese visuellen Phantasiereisen mit ihrer archetypischen Bilder- und Symbolwelt wirken tief in die Psyche und Seele hinein und führen zu den höchsten Stufen spiritueller Meditation, in einen Raum von überwältigender Stille und Klarheit.

144 Seiten, DM/SFr 19,80
ÖS 155,00 ISBN 3-89385-108-9

Chris Foster

Wind über den Wellen

Liebe und Leben, Karma und Schicksal, verwoben in das feine Netz subtiler Energie, das alles Lebendige miteinander verbindet

Dieses Buch berührt das Herz wie ein wärmender, liebevoller Lichtstrahl. Liebe verbindet alle Wesen und Erscheinungen. Sie ist eine Macht, stärker als alles Unglück, alle Angst oder Einsamkeit. Und sie besitzt die Kraft zu verwandeln. Die Geschichte: vier Lebenswege, die nur scheinbar zufällig zusammengeführt werden - und ein verbindendes Netz von Energien ist ins Leben gerufen. Ein Wal, ein zweitausend Jahre alter Redwood-Baum, ein Mann und eine Frau. Eine ergreifende, spirituelle Liebesgeschichte.

144 Seiten, DM/SFr 16,80
ÖS 131,00 ISBN 3-89385-105-4

Die Sternzeichenmusik von Merlin´s Magic

Spirit of Sagittarius
MC 30 Min. DM 24,-
ISBN 3-89385-248-4
CD 30 Min. DM 29,80
ISBN 3-89385-247-6

Spirit of Capricorn
MC 30 Min. DM 24,-
ISBN 3-89385-250-6
CD 30 Min. DM 29,80
ISBN 3-89385-249-2

Spirit of Aquarius
MC 30 Min. DM 24,-
ISBN 3-89385-252-2
CD 30 Min. DM 29,80
ISBN 3-89385-251-4

Spirit of Pisces
MC 30 Min. DM 24,-
ISBN 3-89385-794-X
CD 30 Min. DM 29,80
ISBN 3-89385-793-1

Spirit of Aries
MC 30 Min. DM 24,-
ISBN 3-89385-742-7
CD 30 Min. DM 29,80
ISBN 3-89385-741-9

Spirit of Taurus
MC 30 Min. DM 24,-
ISBN 3-89385-744-3
CD 30 Min. DM 29,80
ISBN 3-89385-743-5

Spirit of Gemini
MC 30 Min. DM 24,-
ISBN 3-89385-788-5
CD 30 Min. DM 29,80
ISBN 3-89385-787-7

Spirit of Cancer
MC 30 Min. DM 24,-
ISBN 3-89385-790-7
CD 30 Min. DM 29,80
ISBN 3-89385-789-3

Spirit of Leo
MC 30 Min. DM 24,-
ISBN 3-89385-792-3
CD 30 Min. DM 29,80
ISBN 3-89385-791-5